On m'avait dit que c'était impossible

Le manifeste du fondateur de Criteo

Jean-Baptiste Rudelle

On m'avait dit que c'était impossible

Le manifeste du fondateur de Criteo

Stock

Couverture François Supiot

ISBN 978-2-234-07895-6

À ma femme, mes filles et mes meilleurs amis,
qui m'ont toujours soutenu dans les moments difficiles.

Prologue

Les lumières du Nasdaq

30 octobre 2013. Times Square, New York. Je suis là. La foule se presse, s'agitant sous le ciel bleu électrique. Avec ses néons et ses écrans géants dans tous les sens, l'ambiance a quelque chose d'entêtant, façon *Blade Runner*.

Je suis un peu étourdi. La fatigue, les nuits sans sommeil qui se sont accumulées. Et puis soudain, je me pince. Sur l'écran géant devant moi s'affiche… mon visage. En énorme ! Oui, c'est bien moi, là, sur trente mètres de haut. Quelque chose d'inimaginable.

Pourtant, je ne suis ni Brad Pitt, ni Angelina Jolie. Je m'appelle Jean-Baptiste Rudelle, fondateur de Criteo, une start-up française. On ne peut pas dire que mon nom ou mon visage soient connus du grand public. Sauf qu'aujourd'hui, ce 30 octobre 2013, ma petite entreprise française, tout droit venue de l'Hexagone, est entrée à la Bourse du Nasdaq. Aujourd'hui, c'est l'IPO (*initial public offering*), prononcez « Aille-Pi-Oh ». Et cela, au pays de l'Oncle Sam, ce n'est jamais une mince affaire. Aujourd'hui, que je le veuille ou non, c'est un peu moi la star.

Cette journée, je l'ai vécue dans un rêve éveillé, comme si, dédoublé, je regardais les événements défiler, à la fois spectateur et acteur. Cela faisait déjà trois semaines que j'étais sur la route pour les fameux *road shows*, cette tournée fiévreuse devant les grands argentiers où vous ressassez dix fois, cent fois la même histoire bien rodée, le même laïus huilé au cordeau. Tout cela pour séduire ces analystes financiers et ces investisseurs qui, comme César aux jeux du cirque, ont le pouvoir de lever ou baisser le pouce, le jour fatidique de l'IPO. Je leur ai expliqué, jusqu'à en perdre la voix, que nous étions en train de révolutionner la publicité sur Internet. Que, grâce à nos algorithmes ultra-perfectionnés qui analysent chaque jour des milliards de données numériques, nous pouvions proposer le bon produit au bon internaute au bon moment. Je leur ai répété que notre modèle économique nous assurait la pérennité qu'il fallait, que nos équipes étaient solides et le marché potentiel énorme. C'est quelque chose d'un peu fou, ces road shows. Vous n'avez pas une minute à vous, à peine le temps de respirer, jamais de vous poser. Vous ne dormez pas deux nuits au même endroit, vous prenez l'avion chaque jour pour une nouvelle destination, parfois en bouclant deux, voire trois villes dans la même journée. Avec un agenda hyperserré où s'enchaînent non-stop petits déjeuners, réunions, déjeuners, présentations, conférences téléphoniques et dîners de groupe. Pour avaler autant de rendez-vous en trois semaines, notre banquier nous avait initiés au luxe suprême des puissants, le jet privé qui nous suivait partout. À défaut de drogues plus sérieuses réservées aux vrais rockeurs, je me suis gavé de caféine pour tenir la distance. Je ne sais pas si les chanteurs éprouvent cette même sensation quand ils partent en tournée, mais c'est à la fois épuisant et électrisant d'être ainsi toujours en représentation. Sauf que pour nous, les entrepreneurs, tout se joue à la fin de la tournée. Et bien sûr, vous ne savez qu'au dernier moment si vous avez fait tout cela pour rien et que vous allez devoir battre en retraite, humilié. Ou si au contraire la mayonnaise a pris comme il fallait, et que cette cavalcade frénétique va se terminer par l'ultime consécration : l'Aille-Pi-Oh.

8 heures. Je me suis mis sur mon trente et un. Pour la première fois depuis la création de Criteo, il y a neuf ans, j'ai sorti du placard le costume-cravate. Je l'ai si peu utilisé qu'il sent un peu la naphtaline, mais on n'entre pas au Nasdaq tous les jours.

9 h 30. Je monte sur la scène. Tous les regards sont rivés sur moi. C'est le moment de sortir un beau discours agrémenté de quelques formules bien ciselées qui auront vocation à passer à la postérité. Et là, glacé, je me rends compte avec effroi que je n'ai rien préparé. Depuis trois semaines, je me suis tellement focalisé sur mon road show que j'en avais complètement oublié la

suite. Mon cerveau est comme engourdi par ces derniers jours, où j'ai poussé les feux sans relâche pour faire monter à bord les derniers investisseurs récalcitrants. J'ai devant moi les officiels du Nasdaq et les quelques dizaines d'employés de Criteo et d'investisseurs historiques qui ont été triés sur le volet pour être présents physiquement le jour J. Également présents, les journalistes qui couvrent l'événement, armés de leurs micros et de leurs carnets de notes. Je pense aussi à mes huit cents autres employés Criteo, qui nous regardent en direct sur écran vidéo, éparpillés dans tous nos bureaux du monde.

Le public commence à remuer. Ils attendent. Après quelques longues secondes, je me lance, un peu bredouillant. Je n'ai jamais été un grand orateur, surtout en anglais. Mais, peu à peu, l'excitation de la salle commence à me gagner. Je m'échauffe en rappelant qui nous sommes, en saluant cet instant historique pour la French Tech, et bien sûr je remercie les équipes de Criteo sans lesquelles rien n'aurait été possible. J'appelle ensuite sur scène mes deux associés de la première heure, Franck Le Ouay et Romain Niccoli, qui ont vécu toute l'aventure à mes côtés. Puis les différentes équipes de salariés présents nous rejoignent à leur tour. Nous finissons à cinquante sur la scène, façon grande revue de Broadway, un peu surexcités.

Tout le monde a les yeux rivés sur l'écran géant. Nous y voilà, c'est le moment tant attendu. Le prix de l'action Criteo commence à se former. C'est crucial. C'est à cet instant que va enfin tomber le verdict fatidique. Tout ce gigantesque effort va-t-il payer ? L'écran sera-t-il rouge ou vert ? Autrement dit, avons-nous fait perdre ou fait gagner de l'argent à nos nouveaux actionnaires, ceux qui ont choisi de miser sur notre histoire ? Après avoir relevé le prix en plein road show – notre offre a été « sursouscrite », un terme dans le jargon financier qui signifie que la demande en actions Criteo était bien supérieure à l'offre –, nous avons finalement proposé les actions à 31 dollars chacune, 5 dollars au-dessus du haut de la fourchette finale. Comment le marché va-t-il réagir ?

Soudain, sur l'écran géant, le prix apparaît en gros sur fond vert : 38 dollars ! Une immense clameur monte dans la salle. Cela commence bien, mais rien n'est joué. Parfois, le prix décroche avant la fin de la séance. Et alors, c'est la soupe à la grimace. Ce prix sur l'écran géant représente la divine récompense ou… la sanction. Les chiffres commencent à sautiller, on passe très vite à 39, 40 puis 42, et enfin le compteur se fige à 45 dollars. Moment magique. Pendant ces quelques minutes de formation du prix, nous voyons très concrètement si nous avons réussi à convaincre les investisseurs financiers et si Wall Street croit en nous. Quel stress ! La clameur continue à monter dans la salle, qui est en plein délire. On se croirait à un match de base-ball. Incroyable ferveur, il ne s'agit pourtant que de la cotation d'une action, pas d'un concert de Madonna.

Les chiffres ralentissent leur course folle sur l'écran. Le clignotement frénétique s'apaise. Le prix s'est enfin stabilisé vers 42 dollars et continuera à évoluer à ce niveau durant la plus grande partie de la journée. 42 dollars, c'est 11 dollars au-dessus du cours d'introduction. Il faut néanmoins tenir jusqu'à la fermeture du marché à 16 h 30. Nous nous occupons en buvant un peu de champagne et en donnant des interviews à des journalistes de la presse économique.

À 16 h 20, nous remontons sur scène pour la cérémonie de clôture. Nous lançons les cotillons orange de la couleur de Criteo, qui volent dans tous les sens, et tout le monde applaudit. Il y a beaucoup d'énergie sur les visages. Je suis au milieu de l'équipe, heureux de sentir toute cette explosion de joie. À 16 h 28, Benoît Fouilland, mon CFO (*chief financial officer*, fonction qui dans le jargon américain correspond à celle d'un directeur financier aux responsabilités élargies), qui m'a accompagné tout le long de ce road show, me fait un petit signe. Comme à son habitude, il est calme, mais je vois à son regard qu'il y a quelque chose qui cloche. Je jette un œil à l'écran géant, et je réalise que l'action n'est plus qu'à 39 dollars. Je continue à applaudir en souriant aux caméras, mais un léger picotement me traverse l'échine. Ne restent que deux minutes avant que le marché ferme. Il faut absolument tenir et que la journée finisse dans le vert. Encore un coup d'œil, et voilà l'action qui en quelques secondes a déjà glissé à 37, puis 36 dollars. Horreur. Je continue bien sûr à applaudir comme tout le monde. Vite, que cette maudite cloche sonne ! Ces dernières secondes me semblent interminables. Enfin, le marché ferme. L'écran géant affiche le prix final : 35 dollars. Ouf, nous sommes restés dans le vert. Nous nous en tirons avec les honneurs.

Nous sortons du Nasdaq après la cérémonie, galvanisés par le succès. À Paris, Tokyo, São Paulo et dans le reste du monde, nos équipes ont débouché le champagne devant leur écran. Et nous à New York, nous nous retrouvons, hagards, sur Times Square. C'est là que je découvre, ébahi, ma tête en Cinémascope, clignotant en lumières de feu. Comme le veut la tradition, l'écran géant du Nasdaq rediffuse à l'extérieur la cérémonie en boucle pendant plus d'une heure. Chose que je ne fais jamais, je dégaine mon smartphone pour immortaliser cette image surréaliste, en une espèce de *selfie* géant. Le soir même, je file à l'anglaise. Dans leur largesse, mes banquiers m'ont affrété leur jet pour un dernier vol, après la trentaine que j'ai effectués ces dernières semaines. Direction Miami, où je retrouve ma femme et mes deux filles. J'ai besoin de me poser après ces trois semaines de folie. Pour reposer les pieds sur terre, rien de tel que de tenter d'expliquer ce qu'est une IPO à deux préados de neuf et onze ans.

– Alors les filles, vous voyez, l'entreprise de papa, elle est divisée en plein de petits morceaux. On appelle cela des actions, qui sont possédées par des actionnaires.

– Mais alors, ce n'est pas vraiment ton entreprise à toi ?

– Pas tout à fait, non. Une entreprise, cela coûte beaucoup d'argent pour la faire marcher. Pour financer Criteo, nous avons dû vendre beaucoup d'actions de la société à des actionnaires.

– Ils font quoi de leurs petits morceaux, les actionnaires ?

– Ils vont pouvoir les vendre ou les acheter.

– Et s'ils vendent leurs actions, tu vas perdre ton travail ?

– Euh, non, pas forcément. Enfin, s'ils en vendent trop, ce n'est pas super. Bon, c'est compliqué tout ça. Papa est un peu fatigué ce soir.

Désormais, tout le monde peut savoir ce que je pèse. Suite aux nombreux tours de financement, je ne possède que 5 % environ du capital de Criteo. Néanmoins, ma surface financière dépasse ce que la plupart des gens, même cadres supérieurs, peuvent espérer gagner dans toute une vie. Évidemment, ce n'est à ce stade encore largement que du papier, et il n'est pas question de vendre mes actions en masse, au risque de créer une panique sur le titre. Néanmoins, je sens depuis ce fameux jour que le regard des gens a subtilement changé à mon égard. Un de mes amis m'a fait remarquer que le magazine *Challenges* m'avait mis dans sa liste des cinq cents fortunes françaises professionnelles. Heureusement, plutôt vers le bas du classement. Renseignements pris, j'ai découvert que nous étions placés tous les trois, Franck, Romain et moi, dans le même pot commun. C'était plutôt cocasse de nous voir comme un trio pacsé. Au final, j'essaye de faire abstraction de ce coup de projecteur financier sur ma vie personnelle.

Entrepreneur : une vocation qui n'était pas dans mes gènes

En ce mois d'IPO, je pense à ma mère. Elle est morte cet été, trois mois trop tôt pour suivre l'événement. Elle avait un cancer depuis plusieurs années, qu'elle gérait avec lucidité. Mais, comme souvent dans ce cas, son état de santé s'est dégradé brutalement les deux derniers mois de sa vie. Ma mère était une pure intellectuelle. Elle a consacré sa carrière aux origines politiques de la Ve République. Ses recherches partaient du constat que la Révolution française avait ouvert une longue période d'instabilité institutionnelle. Avec la Constitution de 1958, la France s'était enfin dotée d'institutions qui semblaient permettre d'organiser l'alternance politique sans crise de régime. Sa grande question était de comprendre pourquoi il avait fallu attendre cent soixante-neuf ans pour résoudre ce vieux conflit historique.

Face à une telle interrogation existentielle, autant dire que Criteo, le Nasdaq, les start-up, tout cet univers, tout mon univers, lui semblaient pour le moins lointains. Quand au début de ma vie professionnelle j'ai dit à ma mère que je voulais créer mon entreprise, elle a ouvert de grands yeux inquiets. Ce n'était pas vraiment ce qu'elle espérait pour moi. Elle a tenté mollement de me dissuader, sachant au fond d'elle-même que c'était peine perdue. J'essayais parfois de lui raconter ce que je faisais, mais sans trop entrer dans les détails. Il faut avouer que c'est déjà assez compliqué d'expliquer à des investisseurs professionnels les subtilités du monde de la publicité numérique. Alors, pour ma mère, c'était vraiment abscons. Même si les dernières années elle avait compris que les choses marchaient plutôt bien pour moi.

Certes, ma mère avait l'habitude de se frotter à des univers différents du sien. Mon père, artiste peintre spécialiste en trompe-l'œil, est tout son opposé, un pur intuitif qui vit dans ses rêves et un passé d'images mythifiées. Le monde de mon père, la peinture et l'art, était au moins aussi étranger au Nasdaq que celui de ma mère. Avec un père artiste et une mère intellectuelle, je n'avais rien dans mes gènes pour me pousser vers l'entreprenariat. Les deux objets sacrés dont la maison était bourrée jusqu'au plafond ? Les livres et les tableaux. Tout le reste était secondaire. Même si nous ne roulions pas sur l'or, les revenus de mon père étant des plus fluctuants et ceux de ma mère très modestes, j'ai eu cependant la chance d'avoir une enfance confortable qui ne manquait pas de « capital social », comme dirait Bourdieu.

Je suis le petit dernier d'une famille de quatre enfants. Trois maintenant. Nicolette, ma sœur aînée, s'est noyée en mer quand elle avait quinze ans. Avec deux ans d'avance, une incroyable facilité scolaire et surtout une personnalité hors du commun, ma sœur était de loin la plus prometteuse de notre fratrie. La mort de Nicolette résulte d'un tragique accident alors qu'elle était en séjour chez une tante éloignée dans le sud de l'Espagne. Son décès semble avoir été le résultat d'un enchaînement d'imprudences désolantes et d'irresponsabilité honteuse. Il reste beaucoup de zones d'ombre sur ce qui s'est vraiment passé ce soir-là. Le seul fait à peu près établi est qu'elle a lutté toute la nuit accrochée à la coque d'un dériveur en perdition. Au petit matin, épuisée, elle a fini par glisser dans l'eau, a priori moins d'une heure avant qu'on ne repêche son corps. Bien sûr, quand mes parents se sont précipités le lendemain sur les lieux du drame, personne n'était responsable de rien. C'était, comme on dit, « la faute à pas de chance ». De cette tragédie m'est restée une aversion féroce pour les gens qui n'assument pas leurs responsabilités. Mes parents auraient pu se lancer dans des procès en tout genre, mais ils ont eu la sagesse de comprendre que cela ne ramènerait pas leur fille. Là encore, j'en ai tiré un enseignement pour ma propre vie. Lorsque vous êtes frappé par une injustice irréversible, aussi terrible soit-elle, il vaut mieux aller de l'avant plutôt que de chercher réparation pour un passé perdu.

Ce genre de drame a bien sûr de quoi secouer en profondeur une dynamique familiale. Ma mère, brisée, pleurait sa fille, et mon père pleurait sa femme. Ma grande sœur et mon frère, qui avaient dix-huit et vingt ans, se sont aussi retrouvés fragilisés en pleine ascension dans leur vie d'adulte. De mon côté, je n'avais que douze ans à l'époque. Isolé de mes aînés, j'ai appris à grandir un peu seul. Avec cette image de la mort, finalement assez rare. Je ne parle pas de la mort des personnes âgées, certes parfois éprouvante, mais qui reste dans l'ordre des choses. Je parle de la mort scandaleuse, la mort contre nature, la mort qui fauche en pleine jeunesse et empêche un destin de s'accomplir. Ce genre de deuil effraie. Bizarrement, il met à l'écart ceux qui en sont frappés. Notre famille a été comme encerclée d'un mur de silence, et j'ai dû apprendre à ignorer la gêne manifeste qu'exprime souvent le monde extérieur devant une famille amputée. Depuis cette expérience, plus rien ne me paraît vraiment grave. Contrairement à la plupart des gens, la perspective de la mort ne m'angoisse pas. Elle viendra quand elle viendra. Cela m'a peut-être permis de me lancer dans certains projets un peu fous, sans peur de l'échec et surtout sans peur du jugement d'autrui, paralysie que j'ai souvent observée chez d'autres, pourtant plus doués et ambitieux que moi.

Je dois l'avouer, j'ai été un adolescent pas très sociable. Passionné d'abord par le jeu d'échecs, puis ensuite par la programmation informatique, même si, malgré mes suppliques, je n'ai jamais réussi à convaincre mes parents d'acheter un ordinateur. D'une certaine manière, j'étais déjà un *geek*, avant que ce mot ne soit consacré par l'essor extraordinaire d'Internet. Je me reconnais d'ailleurs beaucoup dans cette définition du geek glanée sur le Web : « Une personne qui poursuit ses passions et son imagination sans se soucier de la conformité sociale. » À cette époque, j'avais justement quelques soucis quant à cette fameuse conformité sociale. Mes carnets scolaires étaient émaillés à toutes les lignes du mot « agité », le qualificatif habituel des professeurs pour dire élève rebelle et incontrôlable. Ce léger autisme social m'a été paradoxalement d'une grande utilité dans ma carrière d'entrepreneur. Heureusement, pendant toute ma scolarité, mes notes sont restées très correctes en mathématiques et en physique, ce qui dans le système éducatif français vaut toutes les cuirasses. Cela m'a permis d'entrer en classes préparatoires math sup et math spé, une expérience aussi détestable que formatrice, puis d'intégrer Supélec, une école d'ingénieur assez traditionnelle. Ayant opté en troisième année pour la spécialité télécoms – une erreur que je mettrai longtemps à corriger –, ce parcours tout tracé aurait dû m'amener à devenir cadre supérieur, dans une grande entreprise comme France Télécom, devenu Orange, ou Alcatel à l'époque de sa splendeur. Mais j'avais deux rêves un peu idiots : créer ma boîte et écrire un livre. Peut-être une façon détournée de reproduire les marottes paternelles et maternelles.

Je l'ai déjà dit, je n'étais pas programmé pour être créateur d'entreprise. Personne ne m'a poussé, ni même initié, loin s'en faut. Cadre d'un grand groupe prestigieux, on pouvait trouver quelques exemples rassurants dans la famille. À commencer par mon frère, qui a fait carrière chez IBM. Mais entrepreneur ? Pour mes parents, c'était quelque chose de difficile à appréhender, perçu comme peu glorieux et au fond un peu vulgaire. L'insulte suprême pour mon père était d'être traité de « marchand de cochons enrichi ». C'est dire.

Encore sous l'influence familiale, j'ai sagement tenté l'expérience de la grande entreprise. Je m'y suis morfondu tout de suite, suffoquant sous des ordres qui me paraissaient le plus souvent médiocres et arbitraires. J'avais beau m'obstiner, je voyais bien que ce n'était pas ce qu'il me fallait. Je louvoyais entre la crainte de congeler d'ennui dans un bureau aseptisé, ou plus sûrement de finir en ermite social reclus dans une hutte au bord d'une plage déserte. Non, décidément, cadre docile en costume trois boutons, vendant du « jour-homme » dans une société de services informatiques, ce n'était pas pour moi. Comme dirait Steve Jobs, pourquoi faire partie de la Navy quand on peut devenir un pirate ?

Trois entreprises et une IPO

Le soir, en rentrant de mon boulot de salarié, je rêvassais donc à la vie d'entrepreneur. Et, dès que j'ai pu, je me suis lancé. Ma première tentative en 1995 démarra à la va-vite, et fut menée avec l'amateurisme le plus complet. Kallback France, une société pour payer moins cher ses communications téléphoniques avec l'étranger, était un concept que j'avais glané auprès d'un beau parleur américain, rencontré lors d'un voyage aux Philippines. Ce fut un désastre total. En moins de six mois, j'avais brûlé mes petites économies et mis la clé sous la porte. Pire encore, j'avais fait perdre dans l'histoire 6 000 euros à mon père et à mon frère, ce qui à l'époque était une grosse somme pour nous. Il m'a fallu retourner sur le chemin du salariat pour reconstituer ma pelote. Comme consultant en stratégie cette fois, pour avoir un peu plus de liberté. Trois ans plus tard, comme un drogué replongeant dans son vice, j'ai récidivé. Ma deuxième entreprise s'appelait Kiwee (oui, je sais, j'ai un penchant pour les k). Encore dans le secteur de la téléphonie, mais avec un peu d'Internet mobile, puisqu'il s'agissait d'une société spécialisée dans la personnalisation des sonneries de téléphone (*Mission impossible* ou le thème musical de *Star Wars*, tout le monde voulait la sienne). Cette fois-ci, je me suis un peu mieux débrouillé. Moins de quatre ans après le démarrage, Kiwee comptait une cinquantaine d'employés pour 20 millions d'euros de chiffre d'affaires et un résultat à l'équilibre. J'ai pu ainsi la revendre au printemps 2004 pour à peu près la valeur du chiffre d'affaires et permettre à tous mes investisseurs de s'en sortir correctement.

Six mois plus tard, j'étais libre. J'avais accompli mon premier objectif, créer ma boîte (sans qu'elle fasse faillite) et la revendre. J'ai donc ensuite, très méthodiquement, enchaîné sur le livre. Un essai avec un titre un peu tarabiscoté : *Pourquoi votre avocat ne peut plus se payer de baby-sitter*, qui était en fait une réflexion non pas sur l'entreprenariat, mais sur le creusement des inégalités à l'intérieur de chaque catégorie professionnelle. Un projet qui pour le coup enchanta ma mère l'intellectuelle, même si, côté lecteurs, ce fut un échec complet.

Une fois que vous avez accompli vos objectifs de vie, il ne reste plus qu'à mourir. Mais, à trente-cinq ans et en pleine santé, le lecteur m'accordera que l'attente risquait d'être un peu longue. Que faire ? J'ai voulu me lancer dans l'enseignement mais, après quelques déconvenues, j'ai vite compris que les portes des écoles étaient en France verrouillées pour ceux qui ne viennent pas du sérail. Il me restait mon obsession habituelle, créer une start-up. De Kiwee, j'avais gardé un arrière-goût d'aventure inachevée. J'avais aussi eu le temps de réfléchir sur les erreurs que j'avais faites sur ce projet. En corrigeant le tir, j'étais curieux de voir où cela pouvait mener. Et me voilà lancé dans Criteo (cette fois, avec un c, et pas un k, c'est peut-être ce qui m'a porté bonheur). Je n'avais pas de formule magique et, au cours de cette nouvelle aventure, je me suis encore souvent fourvoyé. Nous avons d'ailleurs frôlé plusieurs fois la sortie de route. Mais nous avons sans doute su montrer une certaine persévérance dans l'adversité. Après des débuts très laborieux, la fusée a finalement décollé de manière spectaculaire. Personne n'aurait pu prédire un tel développement, moi le premier.

À l'heure où j'écris ces lignes, Criteo, c'est plus de mille six cents employés et des bureaux dans une quinzaine de pays, une vraie petite multinationale de la technologie dont le rythme de croissance est toujours très soutenu. Nous avons encore embauché plus de deux cents personnes le trimestre dernier. Il faut dire que nous nous sommes lancés sur un secteur de pointe très nouveau, les publicités ultra-ciblées sur

Internet. Ces publicités pour le reflex Canon dernier cri que vous voyez apparaître quand vous lisez le site du *Monde*, alors que justement vous étiez en train de vous renseigner sur le Web sur l'achat d'un nouvel appareil photo ? Ou cette bannière Internet qui fait la promotion d'une paire d'escarpins rouges qui iraient si bien avec cette robe à la mode sur laquelle vous venez de craquer ? C'est nous. Ou plutôt nos algorithmes qui, en moulinant des milliards de données, arrivent à prédire en temps réel et avec une précision étonnante les intentions d'achat des internautes. Criteo est symptomatique de la révolution numérique en cours et un joli symbole de la French Tech. Même si ma famille est désormais installée en Californie (où j'ai lancé moi-même l'activité commerciale américaine fin 2009), Criteo est une entreprise française dont le siège est et a toujours été en France. Je ne le cache pas, je suis très fier d'avoir participé à ce succès. Afin de rester cohérent avec moi-même, il ne me restait donc plus qu'à… écrire un nouveau livre.

Pourquoi ce besoin ? La France m'a beaucoup donné, et il me tarde aujourd'hui de rendre un peu à mon tour. Même si notre pays vit souvent un peu trop à l'ombre d'un passé glorieux, il est loin d'être fini. Un de ses précieux atouts est d'être doté de jeunes très bien formés dans le domaine scientifique, en particulier en mathématiques. À l'heure où le *big data* – l'analyse massive de données – envahit tous les secteurs d'activité, notre éducation qui met tant à l'honneur la logique et les calculs vaut de l'or. Alors pourquoi diable nous complaisons-nous si souvent dans la sinistrose ? J'ai parfois un peu la nausée face à tous ces éditoriaux qui gémissent sur la mort du modèle français. Nous sommes pourtant aujourd'hui aux prémices d'une incroyable révolution industrielle. Le jeu est grand ouvert. Osons en profiter et voir grand, quitte parfois à nous mettre en danger. Bien sûr, se mettre en danger, cela veut dire échouer. Souvent. C'est inévitable. Mon parcours d'entrepreneur est semé d'échecs et d'erreurs en tout genre. Au fur et à mesure, j'ai appris à mieux ajuster les choses. Cela n'a pas été forcément très rapide. Il m'a fallu plus de quinze ans pour commencer à comprendre quels sont les ingrédients qui font une bonne start-up. Je rêve que l'histoire de Criteo puisse aider certains entrepreneurs ambitieux à aller un peu plus vite que moi, en évitant certains des déboires que j'ai vécus.

J'écris aussi ce livre pour partager ma frustration face au *french bashing*. À longueur de temps, j'entends que les impôts sont trop élevés, que le code du travail est infernal, que l'administration étrangle les vocations. Désolé, mais si nos entreprises échouent, ce n'est pas toujours la faute de l'Urssaf. Sur beaucoup d'aspects, la France est un étonnant petit paradis fiscal qui s'ignore. Je pousserai même plus loin. La France va devoir cesser de faire autant de cadeaux fiscaux – quand va-t-on nettoyer toutes ces niches ? – et à l'avenir les impôts pour les plus riches vont probablement augmenter. Bref, pour les gens comme moi, il va falloir payer plus. Horreur ! Je sais que je ne vais pas me faire des amis en disant cela. Mais c'est le sens de l'histoire. Dans la plupart des pays riches, la fracture sociale s'accentue. D'une manière ou d'une autre, il va falloir s'attaquer au problème. Je le sais, je fais partie de cette équation déséquilibrée, même si, cette richesse, Criteo l'a créée et que nous ne l'avons volée à personne. Patron, je reste néanmoins un citoyen, qui s'interroge sur l'avenir à long terme d'une société où l'écart se creuse de plus en plus entre les « stars » et les autres. Ce livre n'a certainement pas la prétention de résoudre tous les problèmes de la société française. Mais nous avons besoin que ceux qui ont tant reçu du système s'impliquent aussi dans le débat. Sans faux-semblants. J'ai essayé de m'y employer dans ces pages, en disant les choses telles qu'elles sont, quitte, on le verra, à briser quelques mythes.

1

Une rencontre inattendue

Des navets, oui, mais des navets bios

Dire que j'ai failli devenir un expert en salades bios et soupes au potimarron. De manière tout à fait improbable, l'aventure de Criteo a en effet commencé dans l'arrière-boutique d'une saladerie. La vie connaît parfois d'étranges détours.

Début 2005, je flottais un peu. L'année précédente, j'avais vendu Kiwee, ma première vraie start-up. Cette expérience s'était terminée avec les honneurs et un beau chèque qui m'avait permis de devenir non seulement intégralement propriétaire de ma résidence principale – un luxe plutôt rare à trente-cinq ans –, mais aussi de gagner un confort suprême, cette divine liberté d'esprit qui va avec l'aisance financière. Après quelques mois pour assurer la transition avec l'acheteur américain, j'avais négocié de reprendre ma liberté. La vente de Kiwee m'avait plongé dans une douce euphorie. À ce stade, beaucoup d'entrepreneurs croient que tout ce qu'ils touchent vaut de l'or et se lancent dans une carrière frénétique de *business angel* en finançant toutes les start-up qui passent à leur portée. La plupart du temps, ils y perdent beaucoup d'argent et finissent par réaliser qu'être investisseur est un vrai métier.

De mon côté, avec encore moins de lucidité, j'avais embarqué ma femme dans une aventure de saladerie tendance organique. Nous n'étions pas vraiment des experts du bio, ni de la restauration en général. Qu'importe. À côté de mon ancien bureau, chez Kiwee, il y avait cette sandwicherie. Je discutais souvent avec le patron. Il avait une bonne tête et semblait si décontracté quand il lisait *L'Équipe* après le rush du midi... Je me suis dit – bêtement – que son métier n'avait pas l'air si compliqué que cela. Ma femme, qui se morfondait dans le service informatique poussiéreux d'un grand groupe – c'est une geekette, comme moi –, a tout de suite été partante. C'est donc en totale inconscience que nous nous sommes engouffrés, bille en tête, dans ce métier, qui s'est révélé aussi ingrat que difficile.

La petite échoppe s'est ouverte en mai 2005 dans le nouveau 13e arrondissement de Paris. Le premier jour a été catastrophique, avec seulement dix clients dans la journée. Nous avons dû jeter les trois quarts de la nourriture. Un peu déprimant. Le deuxième jour n'a pas été plus glorieux. En fait, il a fallu deux bonnes semaines de tartes et de soupes gâchées avant de constater un premier léger frémissement. Sans doute le temps nécessaire pour un début de bouche à oreille sur un concept qui n'avait bénéficié d'aucun marketing (et alors que la devanture vieillotte du local annonçait encore « Charcuterie-Traiteur » du fait d'un propriétaire rapace qui avait bloqué les travaux de rénovation extérieure pour nous extorquer une augmentation de loyer). Ma femme assurait la direction opérationnelle d'une main de fer. Moi, je me sentais plutôt comme un touriste qui s'essaye au jeu du petit commerce, de la fabrication des salades jusqu'à la caisse enregistreuse. En servant, j'ai pu voir au fil du temps comment se construit patiemment, au jour le jour, une clientèle traditionnelle. Au bout de quelques mois, il y avait la queue dans la rue de 12 h 30 à 15 heures sans interruption. Quelle fierté, surtout pour ma femme qui y avait investi tant d'énergie et de nuits blanches !

L'expérience fut certes enrichissante, mais servir des soupes de potimarron – même bio – n'était pas ma vocation première. Dans notre local, il y avait une arrière-boutique juste assez grande pour y installer quelques tables. Devant mon ordinateur, je rêvassais vaguement à un nouveau projet entrepreneurial. Il fallait bien sûr que je retourne dans le numérique. Mais pour y faire quoi ?

À l'époque, je traînais beaucoup dans un endroit qui semble aujourd'hui appartenir à l'ère du crétacé : un vidéoclub où je louais des DVD à m'en brûler le cerveau. Durant cette période, j'ai réussi à avaler un nombre de niaiseries assez impressionnant. Au contraire de ceux que nous cuisinions dans notre saladerie, tous ces navets hollywoodiens me pesaient sur l'estomac. Chaque fois, je me laissais séduire par la jaquette et, presque toujours, j'étais très déçu. Je pestais d'avoir perdu mon temps, qui certes à l'époque n'avait pas grande valeur.

Je réfléchissais. En fait, pour enfin voir des films de qualité, j'aurais eu besoin d'un outil me permettant de rassembler un groupe de cinéphiles qui auraient les mêmes goûts que moi. Ainsi, nous pourrions chacun bénéficier de l'expérience des autres sur les films à voir. Je tournais l'idée dans ma tête. Il était facile de proposer par Internet un système de notation de films. Ensuite, avec un bon algorithme, il devenait possible d'exploiter cette intelligence collective pour construire un service de recommandations personnalisées de films. La beauté de la chose ? Plus les internautes seraient nombreux à noter les films, plus les recommandations deviendraient pertinentes pour chacun. À la fin des années 1990, Amazon avait popularisé un système similaire de recommandation de livres, basé sur l'analyse des achats de ses clients. De cette façon propose-t-il par exemple aux lecteurs qui ont acheté Houellebecq de se laisser tenter par le dernier essai d'Emmanuel Todd. Me voici donc en train de bricoler sur mon projet dans l'arrière-boutique de la saladerie. Tout seul.

C'était mon premier handicap. Fort de mon expérience précédente, je savais dès le départ que, si je créais de nouveau une start-up, il était hors de question que je me lance seul dans cette aventure. J'avais eu du temps pour réfléchir aux succès et limites de

Kiwee. Le projet avait correctement marché, c'est vrai, mais je sentais que nous aurions pu faire mieux. Être les premiers à lancer en France le téléchargement de sonneries de téléphone personnalisées avait été un joli coup marketing. Seulement voilà, le marché avait été ensuite inondé par une foule de clones, proposant des offres toutes plus ou moins semblables. Notre plate-forme technique était trop proche de celles des concurrents. Seule notre marque nous faisait sortir du lot, ce qui n'était pas suffisant pour maintenir notre avance. Avec le recul, cette carence technique s'expliquait facilement. Nous, les associés-fondateurs de Kiwee, étions trois anciens consultants en stratégie, formatés sur le même moule. Ce qui nous avait manqué ? Un profil technique, indispensable pour innover rapidement et faire évoluer le concept avec l'agilité requise. Pour mon nouveau projet, il était impératif que d'une manière ou d'une autre je trouve ce type de compétences.

Partenaire particulier cherche partenaires particuliers

Comment trouver des associés quand on n'en a pas ? J'ai tout naturellement commencé à parler de mon idée autour de moi. Beaucoup. C'est la première chose à faire, et tant pis pour la paranoïa façon j'ai-une-idée-fantastique-attention-à-ne-pas-me-la-faire-voler. Mon premier réflexe a été bien entendu de démarcher mes anciens associés de Kiwee. Je savais pourtant qu'ils n'allaient pas m'apporter cette compétence ultratechnique que je recherchais. Comme quoi, il est vraiment difficile de ne pas céder à l'impulsion naturelle d'aller vers ce qui est familier. Heureusement, d'une certaine manière, mes anciens associés n'étaient pas très convaincus par mon concept. Ils avaient décidé de se lancer sur d'autres idées et m'ont gentiment éconduit. J'étais déçu. Avec le recul, cet échec m'a en fait mis sur la bonne voie en m'obligeant à aller au bout de ma logique. C'est souvent comme cela que ça se passe.

J'étais donc toujours seul. Mais pas question de rester les bras croisés. Il fallait démarrer, même sans associés. Je savais que plus mon projet prendrait forme, plus j'aurais de facilité à convaincre quelqu'un de rejoindre ma barque. J'avais adopté un peu la même tactique pour Kiwee. D'abord un démarrage en solo, puis une campagne de séduction qui m'avait permis ensuite de persuader mes deux acolytes de prendre le train en marche. Séduire, c'est la clé dans le démarrage d'une start-up. À ce stade, toute la dynamique tient avec trois bouts de ficelle. Tout ce que vous faites (business plan, préfinancement, maquette produit, voire parfois tests clients) n'a en réalité qu'un seul objectif : convaincre les bons talents de vous rejoindre.

Seulement voilà, un homme seul, ce n'est pas très attirant. Seul avec une idée, c'est déjà mieux. Avec une idée, une structure, un début d'équipe et de produit, cela devient nettement plus intéressant. L'objectif ? Créer un sentiment d'urgence pour vos candidats associés. Les convaincre que, s'ils ne bougent pas, ils vont peut-être passer à côté de l'opportunité de leur vie.

Que le ticket, le ticket pour *the big thing*, c'est vous qui le détenez. Vous avez commencé à faire chauffer la chaudière. Il serait vraiment dommage de rater le train qui se met en marche, non ?

Évidemment, ce train, il fallait lui donner un peu de consistance pour qu'il ait un semblant d'existence. Le fait d'avoir un petit matelas de côté grâce à la vente de Kiwee m'a permis d'autofinancer la mise en route de cette nouvelle aventure. Mais je devais néanmoins tout reprendre de zéro. J'ai acheté quelques ordinateurs et un scanner. Puis j'ai commencé à bricoler moi-même une toute première maquette d'algorithme de recommandations en faisant appel à mes très vieux souvenirs de programmation. C'était rudimentaire, mais j'avais au moins réussi à faire dire à ma machine que ce n'était pas parce que j'avais beaucoup aimé les deux premiers opus de *Terminator* que j'allais forcément apprécier autant le troisième volet de la saga. Il me fallait ce début d'histoire pour la prochaine étape du projet, qui consistait à recruter deux stagiaires et un développeur junior pour vraiment démarrer. Pourquoi avoir besoin d'une ébauche de programme informatique pour recruter des stagiaires et un jeune diplômé ? La séduction, toujours la séduction. Même au tout début, vous devez dénicher un stagiaire futé et rapide qui a un bon bagage en programmation. Et bien sûr, ce type de profil est très demandé. Sachant que les entreprises les plus prestigieuses s'arrachent les petits jeunes qui maîtrisent le C++, il faut être très persuasif pour en attirer un dans l'arrière-boutique d'une saladerie. Et convaincre un jeune diplômé d'une école d'ingénieur prestigieuse de venir y faire son premier vrai job, c'est digne d'un numéro de trapèze volant. Après de nombreuses rencontres au café du coin, qui était devenu mon quartier général, j'ai réussi à convaincre mon trio de s'embarquer dans l'aventure.

Et me voilà avec ma petite équipe prête à conquérir le monde du fond de la saladerie de ma femme. Même pour une start-up, c'était un local assez peu glamour pour démarrer. Je me rappellerai toujours la tête du premier investisseur professionnel que j'ai fait venir quand il a vu l'endroit. Le pauvre avait d'abord cru s'être trompé d'adresse, puis il a pensé que j'étais un dingue qui avait mangé trop de quinoa bio. Et pourtant, notre petite saladerie s'est révélée un atout maître dans notre campagne de recrutement. J'avais pu proposer à mes jeunes recrues une des choses qui fait le plus plaisir à un salarié : une cantine gratuite pour le déjeuner avec choix illimité de salades, de soupes et de paninis bios. On ne dira jamais assez le pouvoir de séduction de la courgette et de la coriandre.

Nous étions prêts à construire une première version du service qui allait me permettre de passer à la prochaine étape : commencer à confronter mon projet au monde extérieur.

Tant que vous travaillez en vase clos, il est très difficile de savoir si vous avancez dans la bonne direction ou si vous faites complètement fausse route. Ce qui voulait dire dans notre cas : présenter le projet à un premier cercle d'investisseurs. Rien de tel pour jauger la solidité de son concept. Oh, il ne s'agit pas de se laisser décourager par l'inévitable première claque que vous allez recevoir. Mais il est nécessaire de prendre le pouls en faisant le tour de la salle de bal. En revanche, si au bout de quelques mois aucun investisseur n'éprouve le besoin d'aller danser le tango avec vous, là vous pouvez commencer à vous poser des questions. Et envisager un sérieux relooking.

Septembre 2005. J'ai rendez-vous avec des business angels, pour une réunion de présentation de mon projet. Une salle sans fenêtre dans une arrière-cour du quartier de la Bastille, à Paris. Je suis en fait invité chez Agoranov, un incubateur qui héberge des start-up dans un espace un peu hétéroclite avec en partage une connexion Internet à haut débit, une photocopieuse et une salle de réunion. Me voilà dans ladite salle à « pitcher » mon projet, avec toute la fougue et la conviction que ce genre d'exercice un peu convenu requiert. Derrière la table, trois business angels m'écoutent d'un air un peu las et dubitatif. Je vois celui de droite agiter ses mains poilues sans quitter un petit sourire en coin. Je connais ce sourire condescendant, le sourire de celui qui veut me faire comprendre qu'il est plus intelligent que moi. Et surtout, que c'est lui qui a le chéquier dans sa poche, et que, si je veux en voir la couleur, il va falloir que je me plie à son bon vouloir. C'est ainsi. Quand vous vous retrouvez à quémander de l'argent pour votre tour de table, il faut savoir faire le dos rond. Être entrepreneur, c'est aussi parfois être diplomate. Dans ce genre de situation, j'ai appris à donner le change. À la fin de ma présentation, ils me congédient d'un « Sortez de la salle, nous allons délibérer sur votre cas ».

Me voilà donc à me promener dans l'incubateur, mon sac sous le bras, en attendant que mes anges décident si oui ou non je suis digne d'intérêt. Je commence à discuter avec un des occupants, assis devant son portable à l'une des tables de l'*open space*. Je lui raconte rapidement ce que je fais.

Le voilà qui me suggère :

– Tu devrais aller voir les deux types qui sont là-bas. Je crois bien qu'ils font un peu la même chose que toi.

Coup de foudre dans l'incubateur

Je fonce au fond du couloir. J'aborde tout de suite les deux types en question. Incroyable mais vrai, ils travaillent exactement sur la même chose, un site de recommandation de films. Au départ, je sens le duo un peu méfiant. Réflexe naturel. Ils sont plus jeunes – Franck et Romain ont neuf ans de moins que moi, soit vingt-six ans tous les deux à l'époque – et j'imagine qu'ils me voient comme un vieux renard prêt à fondre sur eux pour leur dérober leur idée. Moi, en revanche, je suis comme un recruteur de l'agence Elite en face de la nouvelle Kate Moss. Ces deux-là viennent de travailler six ans à la recherche et au développement chez Microsoft aux États-Unis. Autant dire qu'ils ont des profils très complémentaires du mien, avec mon CV business et ma casquette de « serial entrepreneur ». Nous sommes faits pour travailler ensemble et je le leur dis d'emblée.

Ils sont circonspects. Je comprends cela très bien, parce que moi aussi, à l'époque de ma première entreprise, je suis passé par ces mêmes affres. Comme tout le monde, j'étais un peu paranoïaque, terrorisé à l'idée de me faire voler mon idée de génie. Le premier réflexe de l'entrepreneur ? Se cacher et ne parler à personne tant que le produit n'est pas parfait. Erreur. Des idées, il y en a tant. Et le plus étonnant c'est que, souvent, elles éclosent simultanément à plusieurs endroits du monde. Comme si l'air du temps devenait soudain propice à ceci ou cela. Ici, c'était un vrai cas d'école. Tout juste revenu d'Amérique, Franck avait eu de manière complètement indépendante une intuition très proche de la mienne.

Soit dit en passant, c'est la raison pour laquelle j'ai toujours été assez réticent à la logique des brevets. Je sais que c'est un sujet sensible concernant lequel les intérêts économiques sont tels qu'il est difficile d'avoir un débat serein. Effectivement, dans certains domaines qui nécessitent des investissements à long terme, lourds et aux résultats imprévisibles, la logique du brevet se justifie (par exemple, dans la pharmacie, une nouvelle molécule nécessite des années de tests pour vérifier que non seulement l'effet clinique est réel, mais qu'il n'y a pas d'effets secondaires indésirables). Personne ne se lancerait dans ces expérimentations chères et hasardeuses sans la garantie d'une solide protection en cas de succès. Mais dans le numérique où tout va si vite, où les technologiques sont obsolètes en quelques années, où surtout la plupart des investissements pour valider une idée sont plutôt faibles, le brevet est plus un frein à l'innovation qu'autre chose. Le fameux « achat en un clic » d'Amazon est une superbe idée marketing, mais le protéger par un brevet ne paraît pas la meilleure manière de faire progresser le secteur du commerce électronique dans son ensemble.

Talent sans travail n'est qu'une sale manie, chantait Brassens. Pour une idée, c'est pareil. Qu'importe sa beauté, sa limpidité. L'important, c'est la mise en œuvre, ce que les Américains appellent l'exécution, et cela, c'est infiniment plus difficile. Le cimetière des innovations est ainsi jonché de ces belles idées, jolis fantômes, rêves d'entrepreneurs jamais bien concrétisés. Balayées par un concurrent qui aura eu la même idée en même temps, mais qui aura réussi par sa discipline dans la mise en œuvre. Je vais d'ailleurs vous confier un secret du secteur qui relativise beaucoup le mythe sacré de « l'idée-géniale-dans-le-garage-qui-a-rendu-Steve-Jobs-milliardaire ». Souvent, dans les *success stories*, le concept initial est assez éloigné du produit final. Comme on le verra, Criteo en est une belle illustration. Le trio des fondateurs a été fondamental pour bâtir le succès. Mais ce que nous sommes aujourd'hui, un spécialiste de la publicité ciblée sur Internet, est loin de l'idée de départ qui consistait à aider les gens à bien choisir leur prochaine sortie cinéma.

Revenons à ma rencontre avec Franck et Romain. Ils sont là, face à moi, méfiants. Je n'avais pas réussi à convaincre mes anciens cofondateurs de Kiwee. Mais j'étais bien décidé à mettre le grappin sur ces deux-là.

J'ai tout de suite sorti le grand jeu pour les séduire. J'étais beaucoup plus enflammé que devant les business angels. Ils étaient peut-être sortis de leur salle à me chercher dans les couloirs pour me donner leur verdict. Moi, je les avais complètement oubliés.

Les deux compères m'exposent du bout des lèvres leur projet. Enfin, c'est plutôt Franck qui a parlé le premier. C'était lui qui était à l'origine dudit projet, et avait convaincu Romain de le rejoindre quelques mois plus tard. Pour me montrer qu'ils sont sérieux, il me lâche :

– On veut lever 300 000 euros dans quelques mois, une fois le site lancé.

Romain opine d'un léger mouvement de la tête. Je comprends tout de suite qu'ils sont des amis très proches.

Moi, d'un geste large :

– 300 000 euros ? Cela ne va vous mener nulle part. Il faut lever directement 3 millions d'euros. Tout de suite. Et vous allez voir, aussi étrange que cela paraisse, ce n'est pas forcément plus difficile.

J'y suis allé fort, je l'avoue. À cette époque, en 2005, une première levée de fonds de 3 millions d'euros pour une start-up en France qui n'avait pas vraiment de produit à montrer, c'était un gros montant. Même avec mon expérience précédente, cela n'allait pas être si facile.

Mais j'étais persuadé que notre trio pourrait soulever des montagnes. Pour les investisseurs, qui détestent le risque (curieux paradoxe bien sûr, on y reviendra), nous formions l'équipe de rêve. Moi, le serial entrepreneur, je savais parler le même langage qu'eux. Surtout, avec Kiwee, j'avais déjà parcouru tout le cycle de la start-up, de la levée de fonds à une revente où tous les investisseurs étaient rentrés dans leurs frais, certains faisant même une confortable plus-value (cinq fois leur mise pour les meilleurs, ce qui est très correct dans ce métier). De leur côté, Franck et Romain apportaient la caution technique qui permettait de se dire que nous allions pouvoir faire quelque chose de vraiment innovant. Franck est un esprit original et brillant, un vrai surdoué conceptuel. C'est lui qui est à l'origine de l'algorithme au cœur du succès de Criteo et qui fera que notre technologie aura toujours eu une longueur d'avance sur celles des concurrents. Romain était étonnamment complémentaire de Franck, un vrai ingénieur aussi, mais doté en plus d'un bon sens de la communication et de capacités managériales exceptionnelles. Celles-ci allaient s'avérer précieuses, en particulier lorsque l'équipe technique allait grandir très vite du fait de la croissance fulgurante de l'activité.

Nous nous sommes quittés sur cette idée d'association. Mais, bien sûr, rien n'était fait.

Tout n'a pas été simple ensuite. Pendant plusieurs semaines, nous avons discuté. J'ai essayé de les amadouer, de les rassurer surtout. Mes deux futurs associés n'ont pas fait tomber tout de suite les barrières. Ils voyaient bien que nous avions des profils très complémentaires. Mais ils hésitaient à s'associer avec un parfait inconnu rencontré par hasard, au détour d'un couloir. Quelle folie. De mon côté, après une expérience riche d'enseignements sur la composition du capital d'une société avec Kiwee, j'étais sans doute un peu mieux préparé. Je savais exactement ce que je voulais. Mais j'avais toujours une petite voix dans un coin de la tête qui me disait : « Ces deux-là sont-ils vraiment sérieux ? Est-ce qu'ils ne vont pas te lâcher à la première difficulté ? »

Une start-up est un projet à long terme, où le succès n'arrive qu'après une incalculable succession de difficultés et de déceptions à surmonter. La qualité numéro un de tout fondateur doit être la persévérance. Surtout ne pas se décourager quand on se prend un mur. Franck et Romain arrivaient des États-Unis, ils n'avaient aucune référence à Paris. Savez-vous ce qui m'a le plus séduit chez eux ? Ils étaient tous deux… au RMI. En rentrant en France, aucun des deux n'avait de couverture chômage. Mais plutôt que d'aller se réfugier dans un grand groupe avec un salaire confortable, ils avaient préféré se serrer la ceinture – le fameux régime nouilles, fromage râpé, bien connu des étudiants – pour lancer leur start-up. Cela faisait un an qu'ils mangeaient de la vache enragée. Franck était même retourné habiter chez ses parents. Deux types aussi déterminés, c'était bon signe. Sans compter que j'avais déjà commencé à apprécier leur pragmatisme et leur lucidité. Il aurait été dangereux de partir dans cette aventure avec deux personnes aveuglées par des ego surdimensionnés. Franck et Romain, il ne fallait pas longtemps pour comprendre que c'était tout le contraire.

Après un mois de danse du ventre, nous nous sommes retrouvés un soir dans un café pour la réunion clé, la répartition du capital. La discussion a démarré de manière un peu tendue, ils hésitaient sur la conduite à tenir. Je leur répétais le concept du partage du gâteau. Il vaut mieux avoir une petite part d'un très gros gâteau que 100 % d'un minuscule biscuit. J'ai vu le moment où tout allait se bloquer. À ce stade, le lien était très fragile et un rien pouvait tout gripper.

Au final, nous nous sommes mis d'accord. Je suis passé de 100 % à 50 % du capital, et eux se sont partagé à égalité les 50 % restants. Pourquoi pas un tiers chacun ou alors au contraire 80 % pour moi et 20 % pour eux ? Après tout, j'avais dans la balance dix ans d'expérience de plus, et surtout une première start-up réussie qui m'assurait l'accès à tous les investisseurs de la place, élément important pour la viabilité du projet. Pas de grosse levée, pas de projet ambitieux. D'un autre côté, sans technologie sophistiquée, je savais que nous aurions beaucoup de mal à nous protéger à long terme de la concurrence, comme j'en avais fait l'expérience avec Kiwee. C'était donc un équilibre subtil. Au final, chaque équipe apportait la moitié de l'équation de la réussite. C'est ce qui a fait que nous avons opté pour le 50-50. Cela a néanmoins été compliqué de négocier les choses. Compliqué en fait d'accepter ce partage, pour moi et pour eux. Ne plus être seul maître à bord, perdre une partie du contrôle, c'est angoissant.

Le deal était scellé. Ce jour-là, nous nous sommes quittés le cœur léger, avec néanmoins ce soupçon d'appréhension, cette petite crainte persistante : et si nous avions fait une grosse bêtise ? Évidemment, nous ne pouvions pas avoir conscience que nous venions de prendre ce qui allait devenir pour chacun de nous la meilleure décision de notre vie professionnelle.

2

Guide de survie avec les Vici

Mais quel est votre problème, monsieur le banquier ?

Partager avec ses cofondateurs, c'est essentiel. Partager avec des financiers, c'est autre chose. C'est plus compliqué, mais c'est aussi indispensable. D'ailleurs, c'est sur ma capacité à lever des fonds, à mettre du carburant dans la fusée, que j'avais basé ma crédibilité dans ma rencontre avec Franck et Romain. Il fallait maintenant passer aux travaux pratiques.

« La finance, c'est mon ennemie » a déclaré un certain Président français quand il était candidat. La phrase me fait sourire, car elle traduit finalement une certaine psyché nationale. Nous avons souvent peur de la finance, et des financiers en général. Pour un entrepreneur, le financier qui entre dans le capital ressemble au loup qui s'introduit dans la bergerie. L'image d'Épinal du grand méchant *bankster*. Il y a tant de petits patrons qui refusent d'ouvrir leur capital de peur de perdre le contrôle. C'est le syndrome du fonds vautour qui va faire irruption chez vous, puis vous chasser à coups de savate dès les premiers signes de succès en raflant la mise à votre place. Un braquage en bonne et due forme, mais en costume-cravate.

Résultat : 99,99 % des PME sont financées par la dette. Pour garder leur chère indépendance, elles demandent tout simplement des prêts à leur banque. Je me vois encore dans le bureau de mon banquier lorsque je lui ai présenté le projet de saladerie de ma femme. Il m'avait accueilli avec un large sourire, répétant qu'il avait une grande expérience des projets dans la restauration. Pour ensuite me dérouler ses conditions. Du très standard, comme il me l'a vendu. Il suffisait tout simplement que je me porte caution personnelle sur le prêt, par exemple en hypothéquant mon appartement parisien. Royal, le banquier m'a fait remarquer que, vu le matelas de liquidités qui me restait de la revente de Kiwee, je pouvais aussi bloquer sur mon compte une somme équivalente à mon prêt. Ce qui revenait quasiment à me faire un prêt à moi-même. Savoureux, non ? J'ai dû avaler la couleuvre ce qui, je le réalise, est le quotidien de beaucoup d'entrepreneurs dans l'économie traditionnelle, qui s'endettent à titre personnel pour financer leurs projets.

Cette logique est à des années-lumière de celle des start-up. Il est juste inconcevable d'appliquer au monde de l'innovation technologique les garanties financières que réclame une banque commerciale traditionnelle.

Se retrouver en faillite personnelle parce que votre start-up n'a pas marché ? Le risque est simplement déraisonnable. Et pourtant, c'est le seul scénario que peut vous proposer le conseiller financier de l'agence du quartier. Il n'y peut rien, le malheureux, il a été formé pour jauger la viabilité d'un restaurant ou d'une blanchisserie. Pas d'une start-up qui risque de connaître des montagnes russes.

Je me rappelle d'ailleurs qu'au démarrage de Kiwee j'ai eu un mal fou à trouver une banque qui accepte simplement de m'ouvrir un compte pour y verser le capital social initial. Monsieur le banquier, je ne viens pas vous demander un prêt, juste vous confier mon argent. Quel est votre problème, au juste ?!

À la recherche de la « licorne »

C'est à ce moment de l'histoire qu'interviennent des acteurs qu'on ne voit pratiquement que dans le secteur de la technologie. Les *venture capitalists*, alias Vici. Un métier relativement jeune, puisqu'en France il n'a commencé à prendre son essor que vers la fin des années 1990. Il est amusant de noter d'ailleurs qu'en français on traduit *venture capital* par « capital-risque ». Nous mettons l'accent sur le risque. Alors que la traduction littérale serait plutôt « capital-projet », ou encore mieux « capital-aventure ». Car finalement c'est ce qu'ils font, ces messieurs (il n'y a pas beaucoup de femmes dans ce métier, et c'est fort dommage). Ils se lancent à vos côtés dans un projet, dans une aventure commune. Même s'ils ont horreur de ça, ils savent qu'il y a une forte probabilité qu'ils perdent leurs mises. Mais ils peuvent aussi toucher le jackpot.

À cause de tous ces ratés, le secteur n'est pas très rentable en moyenne. En France, la plupart des acteurs sont sous perfusion directe ou indirecte de l'État, grâce à diverses carottes fiscales. Ces avantages ont été pensés par le législateur pour encourager l'innovation. Ce qui en soi est très positif. Le numérique est un secteur stratégique. À la fois parce que c'est un carburant important de la croissance future, avec des retombées qui vont bien au-delà des sociétés financées. Mais aussi parce qu'un pays qui délaisserait entièrement ce secteur et l'abandonnerait à des acteurs étrangers se trouverait dans un état de dépendance inquiétant. Le retard en la matière de l'Europe sur les États-Unis est déjà très net. Les Google, Amazon, Facebook et autres qui façonnent l'Internet mondial en sont la preuve. Il serait dangereux que ce fossé se creuse encore.

Je remarque cependant qu'aux États-Unis, malgré l'absence d'avantages fiscaux, les Vici locaux continuent à attirer un flux continu de capitaux très supérieur à ce qui se passe en Europe. Et ce malgré un taux de rendement moyen de l'industrie plutôt médiocre.

Pourquoi les investisseurs continuent-ils donc à être attirés par ce secteur, comme des papillons de nuit qui viennent griller leurs ailes sur une ampoule électrique ? Parce que cette ampoule ressemble aux lumières clignotantes des machines à sous de Las Vegas. Dans le métier de Vici, les plus-values peuvent être fabuleuses. Grâce à Criteo, les investisseurs financiers de la première heure ont ainsi remporté plus de deux cents fois leur mise de départ. Sans parler d'un Google ou d'un Facebook, qui sont sur des multiples encore bien supérieurs. Aucun autre investissement financier (légal) n'offre un tel rendement.

Ces cas sont certes rares, mais ils sont le carburant de l'industrie. Chaque investisseur veut découvrir la prochaine « licorne », ce mot qui, dans notre milieu, désigne une start-up dont la valorisation dépasse le seuil mythique du milliard de dollars. Sur des milliers d'investissements, il n'y en a qu'une dizaine par an dans le monde qui finiront par décrocher ce statut tant convoité. Mais, comme à l'époque de la ruée vers l'or, chacun est persuadé qu'il sera celui qui trouvera la pierre philosophale. Et l'argent continue à alimenter la machine Vici. Une poignée de capitaux-risqueurs américains affichent d'ailleurs de manière répétée des rendements impressionnants qui font la fortune de leurs gérants. Ceux-là semblent avoir trouvé la martingale pour dénicher avant tout le monde les futures licornes.

La négociation avec un Vici, savant rapport de force

La manière dont se comportent les Vici lors de la négociation est très révélatrice d'à qui on a affaire. Les amateurs et les médiocres se battent comme des chiffonniers sur la valorisation et vont pinailler sur toutes les clauses du pacte d'actionnaires. Au contraire, les meilleurs investisseurs – les vrais professionnels – se concentrent sur la seule question qui compte : croient-ils que leur poulain peut devenir une licorne, oui ou non ? Ils sont très sélectifs sur les investissements mais, s'ils sont convaincus qu'un projet a vraiment un gros potentiel, alors ils seront prêts à tout pour en faire partie. Dans ce métier très particulier, il est beaucoup plus important de maximiser ses gains que de minimiser ses pertes. Et pour cela, il faut absolument ne pas laisser passer les bons coups.

Lors de mon tout premier tour de table sur Kiwee début 2000, j'ai eu affaire à un business angel sympathique et attachant, mais un peu sanguin. Qui, surtout, n'avait aucune expérience comme investisseur. Le jour de la signature du contrat, son homme de confiance est arrivé, la fleur au fusil, en me disant d'entrée de jeu :

– Jean-Baptiste, nous sommes ravis d'investir dans ta boîte. Mais, tu comprends, ton projet est très risqué. Il va falloir faire baisser ta *valo pre-money* de 10 %.

La *valo pre-money*, c'est le jargon que nous employons pour désigner la valorisation de la société, avant l'investissement que va consentir le financier. Bref, c'est un montant clé, car c'est ce que vous valez à ses yeux, ce qu'il vous paye, en fait. Dans notre cas, cela faisait un mois que le prix était convenu, que nous étions arrivés au stade de la signature. Et là, au dernier moment, voilà que mon business angel réclamait un rabais de 10 %.

J'avais l'impression de vivre un mauvais rêve. Après quelques secondes, je lui ai répondu assez froidement :

– Dans ces conditions, vous direz à votre patron que c'est fini. Ce n'est pas grave, j'ai un autre investisseur qui est prêt à monter à bord à votre place.

C'était du bluff. Je n'avais aucun plan B sérieux. Et ma trésorerie était plus que tendue. Cet argent, j'en avais vraiment besoin, mais en même temps je ne pouvais pas laisser passer cela. Si dès le début vous ne pouvez pas avoir confiance dans la parole donnée, cela n'augure rien de bon pour la suite.

Ma réponse l'a un peu désarçonné. Je pense qu'il ne s'y attendait pas trop. Heureusement, nous étions en pleine bulle Internet et, vu la frénésie qui régnait à l'époque, ma menace était tout à fait crédible. Il a rapidement embrayé :

– Bon, d'accord. Restons sur ce que nous nous sommes dit. Allez, signons vite, que tu puisses retourner travailler.

J'ai poussé un ouf de soulagement. Intérieur, bien sûr. Parfois, une négociation tient à pas grand-chose.

Pour Criteo, c'était différent. Avec ma casquette de serial entrepreneur, c'était quand même plus facile de séduire des Vici. Néanmoins, même auréolé du premier succès avec Kiwee, j'ai dû retrousser mes manches. Lever de l'argent n'est jamais une mince affaire. Mon premier réflexe a été de me tourner vers mes investisseurs précédents, à qui j'avais fait gagner de l'argent grâce à Kiwee. Ils étaient prêts à me suivre dans cette nouvelle aventure. Mais le montage assez complexe qu'ils me proposaient ne m'enthousiasmait guère. À ce moment est entré en scène un grand fonds de la place de Paris, qui avait à son actif les plus belles start-up françaises de l'époque. D'entrée de jeu, la différence de style m'a frappé. Tout de suite, Benoist Grossmann, le patron du fonds, a décidé de s'impliquer personnellement dans le deal. Nous avons discuté pendant une petite demi-heure, les yeux dans les yeux. C'était un intuitif. Il était accroché, je le voyais bien. J'étais en train de lui expliquer que j'avais déjà une proposition, celle de mes investisseurs historiques, quand il m'a interrompu.

– Jean-Baptiste, quelle est la *valo pre-money* ?

– 4 millions d'euros.

– Et pourquoi n'as-tu pas encore signé avec tes investisseurs historiques ?

– Ils nous proposent des obligations convertibles. Pour un premier tour de table, je trouve ça inutilement compliqué.

– J'aime aussi les montages simples. Écoute, nous allons faire exactement comme tu le souhaites, et tu auras une *term sheet* (le document d'investissement avec toutes les clauses, oui, on jargonne beaucoup en anglais, dans notre milieu) avant demain soir dans ta boîte mail.

J'étais estomaqué. Il y avait moins d'une heure, il ne me connaissait ni d'Ève ni d'Adam, et voilà qu'il était prêt à mettre 2 millions d'euros sur la table. Une telle réactivité, je n'avais jamais vu ça. Le lendemain, Benoist a tenu parole. Et aujourd'hui, je ne crois pas qu'il le regrette.

Chacun son métier

Dans les PME traditionnelles, il y a souvent cette confusion entre la personne qui possède le capital et celle qui gère. En cédant une part de son capital, le petit patron est terrifié à l'idée de perdre le contrôle et de ne plus pouvoir diriger sa boîte comme il le veut. Erreur. Certes, il devra s'astreindre à faire un rapport mensuel sur les chiffres clés de son activité, ce qui est de toute façon une bonne discipline de gestion. En revanche, les Vici – du moins ceux qui ont compris leur métier – ne sont pas là pour s'immiscer dans le quotidien et s'occuper de la gestion de la société à la place de l'équipe de management.

Cette méfiance viscérale face au méchant-financier-qui-veut-nous-voler-notre-société, nous y avons été confrontés. Chez Criteo, notre trio de fondateurs s'était adjoint un éphémère quatrième mousquetaire. Il n'est resté qu'un peu plus d'un an, à l'époque héroïque où nous essayions désespérément de développer notre modèle et où rien ne semblait marcher. Nous regardions silencieusement notre trésorerie fondre à vue d'œil et notre chiffre d'affaires rester inexistant. Et lui, le quatrième larron, était persuadé que nos investisseurs n'attendaient qu'une chose, nous éjecter. Sa hantise était que le chiffre d'affaires commence à décoller et que nos financiers en profitent pour voler la caisse et nous prendre la place. Je ne savais plus quoi faire pour calmer sa paranoïa. Il était tellement persuadé qu'il se ferait congédier qu'il a finalement décidé de prendre les devants et de partir de lui-même.

Un vieux routier du capital-risque m'a fait un jour cette confidence : « Regarde Amazon, Microsoft, Facebook. Les plus belles start-ups sont presque toujours portées pendant très longtemps par leurs fondateurs. » Il avait raison. Il faut se rappeler que le Vici mise avant tout sur une équipe. S'il doit en changer, cela veut dire qu'il a déjà perdu son pari initial, et souvent même une bonne partie de son investissement.

Mais rien n'y fait. Beaucoup d'entrepreneurs ont tendance à rester méfiants de manière endémique. Rongés par cette peur inhérente de perdre le contrôle. Nous avons du mal à sortir de cette équation : dilution du capital = perte du pouvoir opérationnel. Cela ne reflète pourtant pas la réalité quotidienne.

Chez Criteo, nous avons réussi à vaincre ces angoisses existentielles. Nous avons renouvelé le processus de levée de fonds à de nombreuses reprises pendant dix ans, pour accélérer la croissance de la société. Je suis ainsi passé de 50 % du capital à 40, puis à 20 %, puis 10 %, et enfin 5 % environ du capital. Mais Criteo vaut plusieurs milliards d'euros en Bourse. Encore une fois, mieux vaut une toute petite part d'une énorme pièce montée que le plus gros morceau d'un biscuit minuscule. Il ne faut pas craindre de se faire diluer. En tant que tel, cela n'a quasi aucune incidence sur la liberté de gestion. Ma capacité à prendre des décisions comme leader opérationnel de Criteo a toujours été exactement la même, quel qu'ait été mon poids dans le capital.

Pourquoi mieux vaut lever trop que pas assez

Autre principe lié au théorème du gâteau. J'ai toujours eu comme approche de lever *trop* d'argent. Autrement dit, quand Criteo avait besoin de 2 millions d'euros pour démarrer en 2005, j'en ai levé 3 tout de suite. En 2008, il nous fallait 5 millions pour attaquer le développement international. Je me suis arrangé pour que nous en obtenions 9.

Au printemps 2012, Benoît Fouilland, mon CFO, est venu me voir avec un fichier plein de calculs. Il semblait un peu inquiet. Nous étions rentables, mais notre croissance était très rapide, trop rapide. Un problème de riches, certes, mais qui pouvait s'avérer délicat. En fait, plus nous grandissions vite, plus nous consommions de cash. Benoît m'a démontré chiffres à l'appui que, certains mois, notre trésorerie nous rapprochait un peu trop près du rouge. Cette situation coïncidait avec notre déménagement rue Blanche.

Ah, la rue Blanche ! C'est vrai qu'ils étaient beaux nos nouveaux bureaux dans le 9e arrondissement de Paris. Impressionnants, avec un hall futuriste, donnant en contre-plongée sur une immense ruche en métal et verre disposant au sommet d'une terrasse panoramique avec une vue imprenable sur tous les grands monuments de la capitale. La rue Blanche, c'était un très beau vaisseau amiral, qui a contribué à convaincre de nombreux brillants talents de nous rejoindre. Mais les belles choses ont un prix. Quand nous avons signé le bail, le propriétaire nous a bien sûr demandé une caution bancaire. Or, selon ses bons principes, notre banque, qui nous voyait encore un an avant l'IPO comme une sombre start-up peu digne de confiance, nous avait imposé pour donner son accord de bloquer l'intégralité de la caution, soit 5 millions d'euros. Cet imprévu avait eu pour effet d'assécher soudainement notre trésorerie de l'époque.

– Tu crois que nous avons eu les yeux plus gros que le ventre ? ai-je demandé à Benoît.

Auparavant, j'avais toujours été très raisonnable sur les bureaux. Avec la rue Blanche, nous avions décidé qu'il était temps de changer de catégorie. J'aurais bien aimé que ce coup d'accélérateur ne soit pas le coup de trop, un caprice de mégalomane qui conduirait l'entreprise tout droit vers l'abîme. Benoît m'a rassuré. Il n'y avait rien d'alarmant. Il nous fallait juste faire un dernier tour de financement. D'après ses calculs, 20 millions d'euros devaient suffire. Mais, pour voir large, j'ai décidé finalement d'en lever 30.

Bien sûr, plus vous levez de fonds, plus vous êtes dilués. Au bout de quelques années, nous les fondateurs, nous avons fini avec sensiblement moins de capital que si nous avions joué plus serré. Mais c'était plus que compensé par deux avantages fondamentaux pour le succès. Tout d'abord, l'avantage d'avoir un (trop) gros matelas de cash, c'est de… mieux dormir la nuit. Cela m'a permis de faire des choix plus risqués, donc plus ambitieux pour Criteo. Ensuite, cela nous assurait l'indépendance vis-à-vis des investisseurs. Car le seul moment où les Vici peuvent vraiment vous ennuyer, voire tenter de vous imposer leur vision des choses, c'est lorsque vous commencez à avoir besoin d'argent frais. Je l'ai vu hélas dans certaines start-up autour de moi. Et ce n'est pas une bonne chose. En général, l'expérience montre que l'actionnaire qui joue un peu trop au manager ne rend pas service à la start-up.

J'ai appris ma leçon avec Kiwee. Quand le service de sonneries a commencé à décoller, tous les indicateurs étaient au vert. Je sentais que c'était le moment d'accélérer et d'augmenter rapidement les dépenses marketing. Mais un de mes financiers s'est mis à tiquer. En plein conseil d'administration, il m'a tancé doctement :

– Cela me paraît très prématuré. Il faut continuer à faire des tests pendant au moins trois mois. Si les chiffres se confirment, alors là nous verrons.

C'était un jeune qui démarrait dans le métier d'investisseur. Autant dire qu'il n'avait jamais monté ni dirigé de start-up lui-même. Cela ne l'empêchait pas de parler avec autorité. Il devait sans doute penser en toute bonne conscience qu'il apportait la lucidité du recul, face au pauvre entrepreneur qui a trop le nez dans le guidon. Avec Kiwee, c'était la première fois que je me retrouvais à gérer un vrai conseil d'administration. J'avais cette idée un peu naïve que, si les investisseurs étaient là, c'est qu'il y avait une bonne raison. J'étais soucieux de bien faire, un peu comme une jeune mère stressée qui écoute trop les conseils de son entourage, la famille, les puéricultrices, les bonnes amies, qui savent toutes bien mieux qu'elle comment s'occuper de son enfant. À contrecœur, je me suis rangé à son avis.

Finalement, à cause de ce maudit trimestre de tests inutiles, nous avons perdu une bonne partie de l'avance que nous avions sur nos concurrents. Cela n'a pas été fatal, mais ça m'a fait réfléchir. Il est certes toujours intéressant de confronter sa propre stratégie aux avis extérieurs. C'est même indispensable pour s'assurer que l'équipe dirigeante n'est pas complètement à côté de la plaque. Néanmoins, les managers doivent rester maîtres de la décision finale et faire confiance à leurs intuitions. Exactement comme une mère sentira toujours mieux que quiconque ce qu'il faut à son enfant. Bien sûr, je suis tout sauf omniscient. Cette intuition m'a parfois mené dans des impasses. Mais a contrario suivre une voie alors que vos tripes vous disent le contraire n'apporte en général rien de bon. Et je suis bien obligé de constater que, chaque fois que je me suis forcé à suivre les conseils stratégiques avisés de mes financiers contre mon instinct, je m'en suis mordu les doigts.

Prévoir le divorce pour réussir le mariage

Trouver le bon équilibre entre les Vici et les fondateurs, c'est compliqué mais essentiel. Cette union ressemble à un mariage, sauf que dans un mariage l'immense majorité des gens ne se soucient pas de leur contrat de mariage. Ils ne le ressortent que lorsque cela se passe mal. Dans le business, c'est différent. La démarche est plus rationnelle. Surtout, chacun sait que les conséquences d'un divorce peuvent être fatales au projet. Il faut donc discuter calmement en amont, point par point, du contrat de mariage, c'est-à-dire du pacte d'actionnaires. C'est là que sont écrites noir sur blanc toutes les règles du jeu.

Ah, le pacte d'actionnaires ! Autant le dire tout de suite, il est indispensable. Là encore, je l'ai appris à mes dépens avec Kiwee. Au démarrage du projet, j'avais fait la rencontre d'un ancien de mon école, un beau parleur qui se vantait d'avoir une énorme expertise technique dans mon domaine. Appelons-le F. Il m'avait convaincu de lui donner 5 % de mon capital pour un montant dérisoire en échange de ses généreux conseils. Très vite, F. s'est avéré un brasseur d'air, et j'ai compris que j'avais stupidement gâché un précieux morceau de mon capital. Mais ma principale erreur n'a pas été là. Bercé par ses jolis discours, j'avais fait entrer F. au capital de Kiwee sans lui faire signer de pacte d'actionnaires. Pour les non-initiés, il faut savoir qu'il est impossible légalement de sortir un actionnaire contre son gré si cela n'a pas été prévu. Ce malin l'avait compris et, lorsque j'ai entamé le délicat processus de levée de fonds, F. a commencé à me bombarder de lettres d'huissiers sous des prétextes absurdes. Le genre de tracasseries qui font fuir les investisseurs à toutes jambes, surtout quand vous levez des fonds pour la première fois. Au moment de boucler mon tour de table, l'investisseur principal m'a dit :

– Jean-Baptiste, ton projet nous intéresse, mais nous ne signerons rien tant que tu as ce trublion à ton capital.

J'étais là encore pas loin de la crise de trésorerie, et je ne pouvais pas me permettre de retarder la levée de fonds. Il a fallu sortir F. de la seule manière possible : au prix fort. Avec l'aide d'un business angel amical, nous nous sommes résolus, la mort dans l'âme, à lui faire un chèque de plus de cent fois sa mise initiale pour qu'il daigne vendre ses parts et quitter définitivement l'aventure. C'était cela ou la fin prématurée de l'histoire. Depuis, j'ai relu avec une attention quasi maniaque tous mes pactes d'actionnaires, à la virgule près.

Je ne sais pas combien d'heures j'ai passées en discussions sur ce genre de sujet pour Criteo. Pour le premier pacte, qui devait servir de base à nos relations, je me suis retrouvé à la table des négociations avec Marie Ekeland, mon coinvestisseur de la toute première heure. Marie est une des rares femmes dans le cénacle feutré du capital-risque français. Elle se distingue de ses collègues masculins par une capacité de travail hors du commun et un ego limité, qualité peu répandue dans ce métier. Cela la rend particulièrement efficace pour faire avancer les négociations difficiles. Marie n'a pas son pareil pour trouver une formule créative qui rapproche subitement les points de vue, là où certains mâles se cabrent inutilement dans des postures de principe. Du fait de son sens relationnel reconnu, elle s'est souvent retrouvée en chef de file sur les sujets délicats, en imposant avec brio des compromis raisonnables à des investisseurs aux poches pourtant bien plus garnies qu'elle.

Me voilà donc justement à aborder un sujet assez délicat avec elle.

– Marie, il faut que nous prévoyions le cas où un des fondateurs s'en va.

– Tu n'y penses pas, Jean-Baptiste ?! Tu sais que, si tu nous lâches, c'est la catastrophe.

– Ne t'inquiète pas, je n'y pense pas du tout. Mais il faut envisager tous les scénarios pour justement s'en prémunir.

Et nous voilà partis pour des heures de négociation. Quand, comment et combien racheter les actions du fondateur partant, selon les cas de figure. Que se passera-t-il si le fondateur se fait sortir contre son gré ou si au contraire c'est lui qui un beau jour décide de lâcher l'équipe ? Un peu comme si, en écrivant le contrat de mariage, vous calculiez déjà les prestations compensatoires d'un divorce éventuel.

Je me souviens de ces discussions comme de moments souvent assez tendus. C'est une sorte d'équilibre de la terreur, chacun a besoin de l'autre et tout le monde se tient par la barbichette. Cela n'en finit jamais car, à chaque nouveau tour de table, il faut revoir le pacte d'actionnaires et parfois tout remettre à plat. Mais attention à ce que cette discussion ne tourne pas au bras de fer. Car après il faut vivre ensemble, souvent pendant des années, le financier d'un côté, et les fondateurs de l'autre. Imaginez un couple qui, le jour des noces, s'écharperait pour avoir le dernier mot. Ce n'est pas forcément la meilleure manière de démarrer une relation à long terme.

Lors de mon dernier tour de table avant l'introduction en Bourse, Criteo était valorisé à 600 millions d'euros, ce qui était déjà une incroyable réussite. Nous étions en train de lever ces 30 millions d'euros supplémentaires qui allaient nous permettre de financer la croissance. Cette fois, nous faisions entrer d'un coup quatre nouveaux investisseurs aux profils très différents, ce qui compliquait beaucoup les négociations. Nous étions enfin arrivés à la phase finale des discussions. Mais la semaine où nous devions boucler le dossier tombait mal. De longue date, j'avais prévu de partir avec ma femme en lune de miel aux Maldives pendant que nos filles resteraient en France en colonie de vacances. La négociation butait sur une clause financière sur laquelle nous n'arrivions pas à nous mettre d'accord. Au lieu de profiter du lagon turquoise qui s'étendait à mes pieds, j'étais rivé au téléphone dans mon bungalow, à argumenter avec Dominique Vidal, alias Dom. Ce financier hors norme a eu une influence déterminante sur la trajectoire de Criteo et, au fil des années, il est devenu un ami. J'y reviendrai. Mais Dom était aussi mon investisseur principal et, à ce titre, fortement impliqué dans cette négociation difficile. Nous étions en train de tourner en rond. J'étais un peu frustré, chacun restait arc-bouté sur ses positions. À un moment Dom a fait une pause et soudain m'a lancé :

– Jean-Baptiste, nous nous connaissons depuis longtemps. Et là, la conversation est en train de devenir vraiment désagréable. Comment ça se fait ?

Sa remarque, je l'avoue, m'a un peu secoué. Il avait vu juste. Après tout ce temps passé ensemble, toutes ces émotions partagées, et au vu de cette aventure incroyable que nous étions en train de bâtir main dans la main, cela aurait été vraiment idiot de se fâcher pour si peu.

La tension est retombée d'un coup. En cinq minutes, nous avons trouvé un compromis qui satisfaisait tout le monde.

Les vertus du partial cash out

Les capitaux-risqueurs veulent souvent être durs en négociation. Parfois trop. À quoi bon négocier des pactes d'actionnaires si, ensuite, ils sont inapplicables car déraisonnables ? Un bon Vici sait aussi qu'il doit faire confiance. Et même permettre aux fondateurs de *respirer* un peu. Une fois que l'activité commence à vraiment décoller, une bonne pratique consiste à permettre aux fondateurs-dirigeants de vendre un peu de leur capital, juste pour avoir un peu d'argent, du vrai argent. Les Vici français répugnent souvent à cette idée. Ils ont peur que leur poulain, une fois le premier chèque touché, se démobilise. Avec son pécule, l'entrepreneur va forcément n'avoir plus qu'une idée en tête : partir au soleil les doigts de pied en éventail, parfaire son bronzage et faire la fête jusqu'au bout de la nuit. L'expérience montre pourtant que, dans l'immense majorité des cas, ce fantasme du fondateur paresseux et opportuniste n'est pas fondé.

Kiwee, ma première start-up, a été un beau cas pratique. Quand l'activité s'est mise à décoller, cela a créé une dynamique inattendue. J'avais investi toutes mes économies dans cette aventure. Avec le succès croissant de notre produit, je me retrouvais soudain gros actionnaire d'une start-up qui commençait à avoir une très belle valorisation. J'étais à la tête d'un joli petit pactole, du moins sur le papier. Cette situation était à la fois grisante et… paralysante. J'avais l'impression d'être face à un château de cartes qui risquait de s'effondrer à tout moment. Ma belle fortune restait virtuelle. En cas de retournement brutal de l'activité – ce qui est fréquent dans le numérique –, tout cela pouvait très vite partir en fumée. Du coup, j'avais beaucoup de mal à prendre des risques. Nous avions réussi à lever 7 millions d'euros mais, comme Harpagon sur son trésor, je suis resté agrippé dessus, dépensant avec beaucoup de parcimonie. La conséquence pratique, c'est que nous avons durablement sous-investi. Nous avons été comme on dit « petits bras » dans toutes nos initiatives. Le développement international s'est limité à l'Espagne et à la Belgique, et le lancement de nouveaux produits s'est fait sans mettre les moyens nécessaires pour assurer le succès. De fait, après un beau démarrage en 2000 et une très forte croissance en 2001, Kiwee avait plafonné dès 2002, faute d'investissements suffisants.

Quand nous avons vendu la start-up en 2004, il restait encore plus de 6 millions d'euros sur notre compte en banque. Tout cet argent, de peur de le perdre, nous ne l'avions jamais utilisé. Un beau gâchis.

Pour Criteo, j'étais dans un état d'esprit différent. J'avais eu le temps de réfléchir un peu à ce problème. En 2010, l'entreprise avait déjà une petite centaine d'employés, une très belle croissance en Europe, et était rentable qui plus est. Nous étions au démarrage d'un défi autrement plus difficile, la conquête du marché américain. C'était le bon moment pour faire une nouvelle levée de fonds. Avec plusieurs dizaines de millions de chiffre d'affaires, nous pouvions valoriser Criteo 100 millions d'euros. À l'époque, cela nous paraissait vertigineux. Très peu de start-up atteignent cette barre symbolique. D'ailleurs un vieux briscard du secteur m'avait prévenu : « Tu verras, quand tu atteins les 100 millions de valorisation, les gens commencent à devenir fous. »

Lors des discussions préliminaires avec nos nouveaux investisseurs américains, j'ai évoqué le sujet. Je savais que l'aventure aux États-Unis nous coûterait très cher et que, en cas d'échec, cela pouvait déstabiliser gravement l'entreprise. Mais le jeu en valait la chandelle. La vente de Kiwee m'avait mis à l'abri du besoin et je n'avais aucun état d'âme pour aller *all-in*, comme on dit au poker. Par contre, je m'inquiétais un peu pour Romain et Franck. Ils étaient en train de fonder une famille, avec les responsabilités et la logistique que ça implique. Acheter un logement à Paris coûte très cher.

Je pressentais qu'ils allaient traverser les mêmes affres que ceux que j'avais connus à l'époque de Kiwee. Ils étaient à ce jour multimillionnaires, mais sur le papier seulement. Tout cela restait très virtuel. Mes nouveaux investisseurs américains ont compris rapidement mes craintes. Ils m'ont tout de suite proposé de faire un *partial cash out* pour les fondateurs à l'occasion de ce tour de table.

Un partial cash out ? Une pratique très inhabituelle en France, mais assez fréquente aux États-Unis. Elle consiste à permettre aux fondateurs de « monétiser » une petite fraction de leurs actions. Autrement dit, convertir en vrai argent une partie de leur fortune virtuelle.

Stimulés par nos nouveaux investisseurs américains, nos Vici européens ont accepté de jouer le jeu. Pour mes deux associés, cela faisait pour chacun un joli chèque, de quoi changer la vie. Je me rappelle comme si c'était hier de la vente de Kiwee. Ce premier chèque a aussi complètement changé mon existence. En une journée, je suis passé du statut d'entrepreneur paria à qui les banques refusent tout crédit immobilier, à celui de client premium à qui elles déroulent le tapis rouge.

Ce partial cash out a donné une nouvelle dynamique à l'équipe des fondateurs. D'un commun accord, nous avons décidé de mettre le turbo à l'international, d'investir tous azimuts, y compris dans des pays plutôt intimidants comme le Japon, où a priori peu de start-up européennes osent s'aventurer. Le pays du Soleil-Levant représente aujourd'hui un des succès les plus spectaculaires de Criteo, et notre second plus gros marché après les États-Unis. Nous avons aussi décidé de mettre les bouchées doubles en recherche et développement. Ce n'était pas un choix évident à assumer. Car c'est un domaine où, passée la mise au point du produit par l'équipe initiale, il est particulièrement tentant de limiter les investissements. Après tout, une fois que le produit a fait ses preuves, pourquoi ne pas simplement se concentrer sur le développement commercial ? Continuer à investir en recherche, cela veut dire s'imposer des charges et des coûts fixes incompressibles, sans aucune certitude de voir des revenus en découler. C'est la raison pour laquelle très peu d'entreprises, même dans le monde des start-up, investissent au-delà du strict nécessaire. Peut-être parce qu'elles sont trop enferrées dans une logique de court terme. Nous avons au contraire mis toutes nos forces dans ce domaine. Cette stratégie nous a permis de creuser l'écart technologique avec nos concurrents. À la manière d'un Google, qui a toujours considéré que la recherche était au cœur de son ADN et qui en a fait un formidable atout. Pour nous aussi, cette obsession technologique a été un facteur clé du succès.

3

L'art du pivot

La stratégie Barbapapa

– Et toi, tu as pivoté combien de fois ?

Le « pivot », dans le secteur de la technologie, c'est un de ces mots un peu magiques. Un signe de reconnaissance entre initiés. Dans le domaine des start-up, presque tout le monde a pivoté, pivote ou pivotera au moins une fois dans sa carrière. À tel point que cette histoire de pivot est désormais utilisée par tous les gourous qui tentent de théoriser la martingale du succès. Il y a même des conférences autour de ce concept. Quand pivoter, comment, pourquoi ? Cela passionne les entrepreneurs. Et pour cause. Pivoter, c'est parfois ce qui fait la différence entre le dépôt de bilan et le succès.

Les Américains, qui ont le sens de la formule, ont cette définition du pivot : *Firing the plan instead of firing the CEO*. Autrement dit, virez le concept plutôt que de virer le P-DG.

Explication. Dans le monde du numérique, les lignes droites sont rares. Il serait tentant parfois d'imaginer qu'il suffit de dérouler la splendide vision initiale du fondateur sur une belle autoroute. Dans la vraie vie, diriger une start-up ressemble plutôt à piloter un roadster sur une route de montagne. Mieux vaut avoir le cœur bien accroché. Si l'idée de départ ne marche pas, ce n'est pas *forcément* que l'équipe fondatrice est mauvaise. C'est juste qu'il est souvent très difficile de voir en amont la bonne direction à prendre. Alors on avance dans un sens, quitte à revoir drastiquement le modèle si les signes que vous faites fausse route deviennent clairs. Ce qui revient à pivoter. Cela est loin d'être évident, j'en conviens. Opérer un changement brutal d'orientation est tout sauf confortable. Surtout quand vous avez investi du temps et beaucoup d'énergie à emmener l'équipe et les investisseurs dans une direction donnée.

Dans le monde si volatil de l'Internet, les positions des acteurs les mieux établis peuvent s'écrouler très vite. Il est assez excitant d'être ce petit inconnu qui essaye de surgir de l'ombre pour terrasser les géants installés. Le tout est de choisir le bon angle d'attaque. Et pour cela, il est utile d'adopter ce que j'appellerai la stratégie Barbapapa. Sans changer son cœur d'expertise, il faut être capable de métamorphoser en un clin d'œil son modèle pour s'adapter à la nouvelle donne.

Les grands succès d'aujourd'hui comme Facebook, Apple et autres Twitter sont de très bons exemples de la stratégie Barbapapa. Eux aussi, ils ont tâtonné, ils se sont trompés, ils ont essayé des modèles variés, avant de trouver la bonne recette. Prenez Google, qui doit être aujourd'hui probablement l'entreprise la plus puissante du monde. Au départ, les fondateurs Larry Page et Sergueï Brin n'avaient absolument pas en tête que la publicité deviendrait leur *cash machine*. Les premières années, Google pensait tout simplement vendre sa technologie très efficace d'indexation de mots clés à des grands portails comme Yahoo!. Mais, en faisant le lien génial entre les mots clés tapés dans son moteur de recherche et les intentions d'achat de consommateurs, l'équipe a compris qu'elle pouvait gagner bien plus d'argent en monnayant directement sa connaissance ultra-fine des internautes pour vendre de la publicité ciblée. Quand vous tapez appareil photo dans le moteur de recherche, Sony ou Canon paient très cher pour apparaître sous forme de petits encarts promotionnels à côté des résultats de recherche.

Quand le succès vient, la com réécrit souvent la légende. Il est assez facile de reconstruire une vision lisse et parfaite qui semble n'avoir pas bougé d'un iota au fil des années. Mais vous seriez surpris de voir combien tout ceci est souvent scénarisé a posteriori. La plupart des start-up ont tâtonné, parfois longtemps. Dans le monde de la vieille économie, le parallèle n'est pas facile à imaginer. C'est un peu comme si Danone avait testé toutes sortes de fromages avant de comprendre que son vrai marché était sur les yaourts. Le secteur de l'Internet évolue si vite que ce type de changement est monnaie courante.

À ce propos, si le lecteur veut en savoir plus sur le monde iconoclaste des start-up, je lui recommande la série télévisée *Silicon Valley*. Le scénario semble une farce tirée par les cheveux simplement destinée à faire rire le spectateur. Mais, pour les initiés, les situations décrites sont curieusement familières, ce qui rend l'histoire d'autant plus savoureuse. Ainsi cette série inclut bien sûr l'inévitable scène du pivot. C'est un moment d'anthologie qui rappelle aux entrepreneurs beaucoup de souvenirs. Les héros, des geeks qui veulent mettre au point un superbe logiciel de compression de données, se rendent compte qu'ils sont acculés. Leur principal concurrent a sorti une version en tout point meilleure que la leur. Ils ont une journée pour pivoter. Le monsieur business de l'équipe se lance alors dans un *brainstorming* frénétique, en imaginant les concepts les plus farfelus, telle cette application pour traquer les enfants par GPS à la sortie de l'école (en passant, si vous êtes des parents stressés, il existe en fait toute une flopée de vraies start-up proposant cette application).

Il n'y a pas de succès sans cette part d'erreur. Aux États-Unis, l'échec n'est pas tabou. Tout le monde sait qu'il fait partie intégrante du parcours d'un entrepreneur. Est d'ailleurs née outre-Atlantique une conférence célèbre sur le business qui s'appelle Fail Con, qu'on pourrait traduire par « conférence des échecs ». À première vue, cela ne semble pas très glamour comme thème, mais l'idée est vraiment intéressante. Au cours de cette grand-messe, les entrepreneurs viennent partager leurs ratés, et l'expérience qu'ils en ont tirée. Pour sa première édition en France en 2012, la Fail Con m'a demandé de venir témoigner sur scène.

– Vous voulez que je raconte toutes mes galères ? j'ai demandé en riant. Il y a de quoi faire.

Je n'exagérais pas. Chez Criteo, nous avons un peu testé toutes les façons de nous fourvoyer.

J'en ai fait un résumé sur de beaux *slides PowerPoint*, préparés pour l'occasion. J'avais découpé cela en trois chapitres.

1. La mauvaise idée, mal mise en œuvre.
2. La mauvaise idée, bien mise en œuvre.
3. La bonne idée, mal mise en œuvre.

C'était assez bizarre de me retrouver dans un auditorium à expliquer toutes les erreurs que j'avais faites. En m'obligeant à formaliser nos échecs, cette introspection publique a été finalement assez instructive pour moi, une sorte de psychothérapie business. Me voici donc à dérouler mes trois gros ratés.

Ratage numéro un :
la mauvaise idée, mal mise en œuvre

Comme je l'ai expliqué précédemment, nous étions partis de cette idée d'un système de recommandation de films. Cela s'est traduit de manière pratique par un site qui permettait aux internautes de noter des films et de bénéficier de recommandations personnalisées. La maquette était épurée, la technologie assez innovante et les résultats plutôt pertinents. Tout allait donc pour le mieux dans le meilleur des mondes. Sauf que, côté trafic, c'était l'encéphalogramme plat. Autrement dit, nous avions toutes les peines du monde à attirer les internautes sur notre site et à les convaincre d'utiliser notre superbe algorithme.

Au bout de deux mois à ce rythme, je commençais à avoir les nerfs en pelote. Nos chiffres de trafic stagnaient à cinq cents visites par jour. Il n'y avait aucun signe de bouche à oreille. Nous avons acheté de la publicité sur Google pour faire venir du monde. En vain. Les rares internautes qui cliquaient sur nos annonces repartaient presque aussitôt du site. Désespérant.

L'avantage du ratage façon numéro un, c'est que vous ne pouvez pas vous mentir très longtemps à vous-même. Nous n'avons pas eu besoin de beaucoup de discussions internes pour nous mettre d'accord. Nous allions dans le mur. Nous avons réalisé très vite qu'il fallait changer de modèle pour survivre. Et c'est comme cela que nous avons pivoté une première fois.

Ratage numéro deux :
la mauvaise idée, bien mise en œuvre

Nous restions persuadés – et l'avenir nous donnerait raison – que nous avions une superbe technologie, notre fameux algorithme de recommandation. Encore fallait-il savoir quoi en faire. À l'époque, le B2B (lire *business-to-business*, soit la vente aux entreprises par opposition au B2C, le *business-to-consumer*, la vente aux particuliers) était à la mode. Peut-être nous suffirait-il de vendre notre belle technologie à d'autres sociétés ? Nous n'étions pas très avancés dans notre nouvelle stratégie, mais notre décision de pivot avait déjà produit un résultat concret. Nous avions réussi sur cette approche à lever un premier tour de table auprès d'investisseurs professionnels.

Puisque nous ne parvenions pas à toucher les cinéphiles directement, nous avons décidé d'aller les trouver là où ils étaient. En l'occurrence sur AlloCiné, le site leader incontesté en France. Il a fallu quelques mois d'âpres négociations. Mais, à force de persévérance, nous avons fini par les convaincre. Décrocher un premier client, c'était un moment fort pour l'équipe. Comme nous étions à sabrer le champagne, j'ai pris Cyril dans un coin, notre premier commercial, qui avait une énergie débordante :

– Rappelle-moi, combien allons-nous facturer à AlloCiné pour ce contrat ?

– 5 000 euros par mois. Cela fait 60 000 euros par an.

– C'est vrai. Mais, vu le nombre d'AlloCiné dans le monde, j'ai peur que nous n'allions pas très loin.

Je me rappelle encore sa tête dépitée. C'était un peu brusque de ma part de gâcher ainsi la fête. Il est vrai que j'ai particulièrement du mal à supporter les *dissonances cognitives*, ce qui me fait parfois dire un peu trop directement ce que je pense. Il fallait pourtant que nous sortions vite du monde – sympathique mais trop restreint – des recommandations de films. Heureusement, mes associés, Franck et Romain, étaient des virtuoses, jamais effrayés à l'idée de relever de nouveaux défis. Cela me changeait de mon premier directeur technique chez Kiwee qu'on surnommait Mister No, car à la moindre demande pour changer un pixel sur notre site Internet il poussait des cris d'orfraie en nous disant que c'était impossible.

Impossible, ce n'était pas un mot qui faisait partie du vocabulaire de mes deux associés. Franck et Romain ont retravaillé sur l'algorithme pour que nous soyons capables de proposer des recommandations non pas que pour les films, mais pour n'importe quel produit vendu en ligne. Notre jeune équipe commerciale s'est démenée encore une fois. Nous avons assez vite convaincu les 3 Suisses, La Redoute et quelques autres marchands français d'adopter notre solution. À la force du poignet, nous voyions enfin arriver un peu de chiffre d'affaires, quelques dizaines de milliers d'euros. Encourageant. Nous aurions pu certainement en convaincre d'autres. Mais quelque chose me chiffonnait. J'avais la pénible impression de vider la mer avec une petite cuillère. Quel était le problème ? Je ne le savais pas exactement. Ou si. Au fond, nous n'étions pas vraiment indispensables à nos clients. Certes, la technologie que nous leur proposions marchait bien. Chiffres à l'appui, ils en convenaient. Mais, en même temps, beaucoup de clients pensaient qu'ils auraient pu développer en interne le même outil sans nous. Impression fausse, mais qui augurait mal de l'avenir.

Peu à peu, je commençais à avoir le sentiment que nous étions dans le pire des « scénarios de ratage », la mauvaise idée assez bien appliquée. J'étais en train d'embarquer l'équipe dans une direction médiocre. Certes, avec ce modèle, nous allions sans doute pouvoir vivoter honorablement, mais c'est tout. Une petite voix intérieure me disait que je n'avais pas remonté une nouvelle start-up pour faire un second Kiwee. Il fallait viser plus haut. Beaucoup plus haut. Au bout de quelques mois, nous avons fait une réunion de crise avec l'équipe de management.

– Nous signons trois à quatre nouveaux clients par mois. Que nous facturons en moyenne 3 000 euros par mois. Si on extrapole, à ce rythme il va nous falloir cinq ans pour dépasser les 10 millions de chiffre d'affaires.

– Aux États-Unis, nous avons des concurrents qui atteignent les 20 millions de dollars de revenus.

– Je sais, je les ai rencontrés, ai-je répondu en repensant à mes voyages de reconnaissance que je faisais tous les ans pour voir comment le marché se développait outre-Atlantique. Mais justement, ils ne me font vraiment pas rêver, ces Américains. 10 ou 20 millions, c'est pareil. Ils restent des petits poissons dans un petit business.

– Nous devons nous accrocher. Les clients nous aiment, cela va finir par décoller, a lancé Cyril, notre commercial dont la pugnacité dans l'adversité m'a toujours impressionné.

Cependant la persévérance, hélas, parfois ne suffit pas.

– Nous avons une superbe technologie. Ce serait vraiment dommage de ne pas pouvoir faire mieux. Il faudrait juste que nous trouvions un autre moyen de la vendre.

Franck et Romain étaient à 100 % en phase avec moi. Eux, ils ne rêvaient que d'une chose. Que leur magnifique algorithme soit diffusé le plus largement possible. Romain le disait souvent : plus l'activité allait grandir, plus nous allions vivre une expérience intense. Bien plus que toute considération financière, c'était vraiment cela qui le motivait profondément.

– Ce qui serait bien, ce serait un truc qui s'installe avec trois clics, une sorte de *widget* automatique, déclara Romain, qui avait une très bonne connaissance de l'écosystème Internet.

Widget ? Les geeks ont leur vocabulaire, parfois difficile à décoder. Les widgets sont des petites applications qui peuvent s'installer très facilement sur n'importe quel site Internet ou blog. À l'époque, nous étions en plein dans la fièvre de l'Internet 2.0, ce qu'on appellera plus tard le Web social. Les internautes créaient du contenu de manière exponentielle, ledit contenu étant lui-même éparpillé sur un nombre toujours plus important de sites. Le Web était devenu si foisonnant qu'il y avait un besoin croissant d'outils capables d'offrir une sélection personnalisée de pages, afin que chacun trouve vite ce qui l'intéressait. Au lieu de proposer des recommandations personnalisées de produits, nous pouvions tout à fait recommander des articles de blogs. Basé sur le principe « on vous recommande les blogs que les visiteurs de ce blog ont aimés ».

L'idée était séduisante, mais je n'avais pas une vision très claire du travail nécessaire pour adapter notre plateforme technique à ce nouveau défi. La trésorerie de Criteo issue de notre première levée de fonds filait rapidement. J'ai jeté un coup d'œil interrogatif à Franck, le maître de l'algorithme. Son avis était crucial. Comme souvent lorsqu'il est confronté à un problème difficile, Franck a pris quelques secondes avant de répondre. Il était calme et réfléchissait. Et puis il a parlé.

– Je ne vois rien de rédhibitoire. En fait, nous devrions pouvoir adapter l'algorithme assez facilement, dit Franck.

Facilement ! J'adore quand Franck nous dit que quelque chose est facile.

Nouveau silence.

– Nous devrions en avoir pour un mois, deux mois maximum.

Deux mois seulement, c'était parfait. Franck et Romain n'arrêtaient pas de m'épater. Tous les jours, je réalisais la chance incroyable d'être tombé sur ces perles rares, dans cet incubateur à la Bastille, après mon entretien raté avec des business angels.

Ils se sont mis au travail. Avec leur petite équipe de développeurs, le défi technique était assez excitant. En revanche, pour notre équipe commerciale qui avait réussi tant bien que mal à convaincre une trentaine de clients sur notre module de recommandation de produits, c'était plus compliqué. Il n'était pas facile pour eux de nous voir partir dans une nouvelle direction. Mais j'étais persuadé qu'il fallait absolument essayer. Pivoter encore une fois et tenter d'accrocher enfin quelque chose de grand. Et voilà Criteo parti à toute vitesse vers sa prochaine destination. Le ratage numéro trois.

Ratage numéro trois :
la bonne idée, mal mise en œuvre

En deux ans, c'était déjà la seconde fois que nous devions pivoter. Le changement était radical. Non seulement nous changions de public – nous ne nous adressions plus à des sites de commerce électronique, mais à des blogueurs –, mais le modèle économique était tout autre. Pour être précis, en fait il n'y avait pas de modèle économique. Nous avions tout simplement décidé de distribuer notre logiciel gratuitement aux blogueurs. Ce que nous voulions avant tout, c'était développer vite du trafic à grande échelle. Nous allions enfin voir ce que donnait notre fameux algorithme avec un volume important de données à mouliner.

Et là, miracle, cela a tout de suite décollé. En peu de temps, une quantité croissante de blogueurs nous ont adoptés. Après notre longue traversée du désert, c'était vraiment gratifiant. Enivrant même, de voir notre outil se diffuser comme une traînée de poudre sur la Toile.

Les yeux brillants, nous suivions les chiffres de trafic grossissant chaque jour.

Seulement voilà, nous avions un petit problème. Nous n'arrivions pas à concevoir un modèle économique crédible. Et sans savoir comment faire de l'argent, il y aurait fatalement un moment où la dure réalité financière allait nous rattraper. Nous étions typiquement dans le scénario trois. Une bonne idée (puisque les blogueurs plébiscitaient notre produit), mais mal mise en œuvre, étant donné qu'elle restait non viable économiquement. Quelques années plus tard, Outbrain et Taboola, deux start-up basées en Israël, ont d'ailleurs prouvé qu'avec la bonne approche la recommandation de contenu pouvait tout à fait devenir un business intéressant.

De notre côté, cette expérience nous avait néanmoins apporté des informations de choix, avec la collecte d'une masse très importante de données sur la navigation des internautes de site en site. Nous avions l'intuition que ces données pouvaient être précieuses. Restait à comprendre comment.

Tous les mois, je continuais à présenter à mon *board* (l'anglicisme qui désigne le conseil d'administration de la société) les résultats de notre nouvelle stratégie. Si les chiffres d'audience montaient de manière impressionnante, à la ligne chiffre d'affaires, il y avait toujours un 0 têtu. Un mois, je me rappelle qu'à cette fameuse ligne il y avait, miracle, un… 3. Mes investisseurs étaient ravis. En démarrant la réunion suivante du conseil d'administration, Benoist Grossmann me dit :

– J'ai vu les chiffres que tu nous as envoyés. Ça y est, Jean-Baptiste, ça commence à décoller. Ce 3 sur la ligne en haut, cela correspond à quoi ? 3 000 euros ?

– Euh, c'est-à-dire que…

– 30 000 ? Encore mieux !

– Non, c'est bien 3. On a fait 3 euros de chiffre d'affaires ce mois-ci.

Je me rappelle la tête de Benoist à ce moment. 3 euros de chiffre d'affaires pour nos 3 millions levés. Avouez qu'au moins le chiffre était rond. Des années plus tard, quand Criteo a rencontré le succès, c'est devenu une plaisanterie entre nous. Criteo, la start-up aux 3 euros de chiffre d'affaires. Mais à l'époque, même si j'essayais tant bien que mal de donner le change, je n'en menais pas large.

– Je ne vois pas où tu vas, insista-t-il. Quel est ton plan, Jean-Baptiste ?

– Nous avons un trafic très important. Il faut juste nous laisser un peu de temps pour trouver le bon modèle économique. Nous aurons besoin d'argent. Vu nos réserves de trésorerie, nous allons devoir faire une nouvelle levée de fonds d'ici la fin de l'année.

Gros soupir de mes investisseurs. Pas besoin d'être un devin pour comprendre qu'ils étaient assez sceptiques sur nos chances de succès. Benoist me lança alors :

– Nous devrions peut-être penser à faire un *bridge*, non ?

Mon sang ne fit qu'un tour. Un bridge ? Plutôt mourir !

C'est là que le lecteur se dit : mais ils sont fous ou quoi ? Était-ce vraiment le moment de faire une partie de bridge ? En fait, le bridge, c'est le nom de code des investisseurs pour dire qu'il est temps de punir les fondateurs pour leur manque de résultats. Concrètement, les investisseurs actuels acceptent de remettre un peu d'argent dans la société pour qu'elle puisse continuer à fonctionner. Mais ce soutien du bout des doigts est en général accompagné de conditions drastiques : valorisation revue à la baisse, nouvelles contraintes budgétaires, etc. Bref, le bridge, c'est un peu le cauchemar du fondateur.

Je continuai, buté :

– Nous n'en sommes pas là. Nous avons une très belle technologie et une très belle équipe. Je vais aller chercher un investisseur extérieur, et si possible international. Il faut juste que nous… recadrions un peu notre concept.

En refusant ce bridge et en m'embarquant dans une levée de fonds classique, je savais que je prenais un gros risque. Si la levée de fonds ne se passait pas comme prévu, j'allais me retrouver complètement dos au mur.

C'est à ce moment critique qu'est intervenu Gilles Samoun, notre administrateur indépendant de l'époque, que nous avait trouvé Marie Ekeland. Délicat métier soit dit en passant que celui d'administrateur indépendant. Ils sont en général recrutés avant tout pour leur entregent et leur précieux carnet d'adresses. Concernant la marche de l'entreprise, la plupart du temps, ils se cantonnent à contrôler que la société est gérée « en bon père de famille », selon l'expression consacrée par les juristes. Mais les plus intelligents sont capables de poser les bonnes questions, de pousser le dirigeant dans ses retranchements. Ce qui parfois est à l'origine d'intuitions fulgurantes qui changent le cours de l'histoire.

Ayant lui-même dirigé plusieurs sociétés dans le domaine du logiciel, Gilles éprouve une forte empathie pour les entrepreneurs et comprend les difficultés qu'ils peuvent vivre au quotidien. Mais Gilles est surtout doté d'une qualité essentielle : il est extrêmement sympathique. Cela peut paraître incongru d'évoquer ce type de trait de personnalité lors d'un conseil d'administration qui recherche avant tout le professionnalisme et l'expérience. Pourtant, j'en suis désormais de plus en plus convaincu, pour qu'un conseil d'administration marche bien, il est vraiment utile d'avoir des personnalités qui créent une dynamique positive. Dans un *board*, il n'y a pas de rapport hiérarchique. Les administrateurs sont par définition indépendants du P-DG, et vice versa. Les décisions sont donc, par nature, collectives. En principe, pour entériner une décision, il faut un vote formel à main levée qui doit réunir la majorité des votants. Dans la pratique, les décisions se prennent de manière consensuelle. Depuis plus de quinze ans que je pratique les conseils d'administration, je n'ai d'ailleurs jamais vu de décision qui n'ait été prise à l'unanimité.

Du coup, lors de ces *boards*, les discussions peuvent être vives, parfois longues, et donner lieu à d'interminables joutes oratoires. Mais le but précisément de ces échanges intenses est de faire émerger une position commune. Et si vous n'avez pas dans votre conseil des personnalités qui savent jouer ce jeu collectif, cela ne marche pas. J'ai échangé avec beaucoup de dirigeants sur cette question épineuse. Le constat est unanime. Les conseils qui fonctionnent mal sont ceux où se sont nichées une ou plusieurs personnalités qui – souvent à cause d'ego démesurés – refusent de se plier à la règle du collectif.

Revenons à Gilles. Certes il venait du monde du logiciel et pas de l'Internet, mais comme beaucoup d'entrepreneurs Gilles était aussi un intuitif brillant. Alors que j'étais empêtré dans cet échange tendu sur le bridge, il m'a soudain lancé, presque à la cantonade :

– Jean-Baptiste, tu as pensé à utiliser ta technologie pour la publicité ?

Sur le moment, je n'ai pas tellement compris ce qu'il voulait dire. Et j'avoue, je ne l'ai écouté que d'une oreille un peu distraite. À l'époque, la publicité, cela paraissait très loin de notre algorithme de recommandation. L'idée de Gilles me semblait destinée à rejoindre tout droit le vaste cimetière des concepts boiteux.

Je ne me doutais pas que cette petite phrase serait le déclic qui allait nous sortir du ratage numéro trois, avant que celui-ci ne devienne mortel. Pour pivoter enfin vers *the right thing*. Le bon truc. Notre Graal.

Enfin la lumière au bout du tunnel

Les bonnes idées mûrissent comme le bon vin. Lentement. Nous convertir à la pub ? Après tout, pourquoi pas ? Plus le temps passait, plus l'idée de Gilles me trottait dans la tête. Avec Franck et Romain, nous nous sommes mis à « brainstormer » devant le tableau blanc. Et si nous pouvions aider nos clients non pas directement sur leur site marchand, mais au niveau de leurs investissements publicitaires pour lesquels ils dépensaient des fortunes ? Nous avons commencé à imaginer différents modèles, je voyais défiler dans ma tête de jolis schémas. Notre technologie permettait d'analyser avec beaucoup de finesse l'historique de navigation des internautes. Avec la bonne approche, il devait y avoir un moyen intéressant de créer de la valeur pour tout le monde.

Évidemment, entre l'idée abstraite et la réalisation concrète, il y a toujours un gouffre. Pendant plusieurs mois, nous avons tâtonné. Fin 2007, notre nouvelle approche ne marchait encore que sur mes *slides*. Nous n'avions pas l'ombre d'un client dans le monde de la publicité. Cela devenait plutôt stressant. Faute de mieux, notre équipe commerciale continuait à vendre notre vieux produit, avec un succès mitigé. Nous commencions à voir le bout des 3 millions d'euros de notre première levée de fonds réalisée deux ans auparavant. Il fallait boucler cette seconde levée de fonds. Et vite. À ce stade de la vie d'une start-up, ça passe ou ça casse.

Ce fameux cap des deux ans, si souvent mortel, allait dans notre cas être particulièrement difficile à négocier. Car, si l'on pardonne facilement à une « jeune pousse » de six mois de n'avoir encore rien produit de tangible, la situation devient plus délicate quand, après deux ans, vous n'avez aucune réussite concrète à afficher. Bref, pour nous, cette nouvelle levée de fonds était pour le moins périlleuse. Nous sentions bien que nos Vici du premier tour de table n'étaient pas loin de nous ranger déjà dans la case « pertes ». La *dream team* était devenue la team des boulets. Séduire d'autres investisseurs ? Nous n'avions pour l'instant qu'un concept assez flou, qui n'avait encore jamais été appliqué, et que nous peinions à mettre en place. Bref, il fallait être sacrément confiant ou un peu fou pour croire en nous.

Une rencontre inespérée

Mais parfois le hasard ou le destin interviennent quand il faut. Alors que toutes les portes se refermaient, que nous étions en train de passer du statut de start-up-désirable-chez-qui-il-faut-investir à start-up-pourrie-à-fuir, j'ai fait une rencontre outre-Manche qui allait changer l'avenir de Criteo. Dominique Vidal, alias Dom, était un Français installé à Londres, qui avait la particularité d'être un ancien entrepreneur, ce qui est l'exception dans le monde de l'investissement européen, où l'on trouve surtout des purs financiers. Kelkoo, sa start-up emblématique, avait été rachetée par Yahoo! au milieu des années 2000. Après avoir dirigé Yahoo! Europe pendant quelques années, il venait d'être embauché par Index Ventures, un grand fonds de capital-risque anglo-saxon qui avait la haute main sur les plus beaux deals en Europe. Dom était un esprit curieux et brillant, très analytique et qui aimait les défis intellectuels. Quand je l'ai rencontré, il a tout de suite compris ce que nous voulions faire. Chez Kelkoo, il avait justement bataillé pour imposer au marché un modèle publicitaire comparable à ce que nous avions en tête.

Après les discussions préliminaires, Dom m'a fait rencontrer son patron. Je me rappelle comme si c'était hier ce petit déjeuner dans une brasserie chic du centre de Londres, face à ce grand fauve du capital-risque, qui me dévisageait de ses yeux malins, tout en étant prêt à me déchiqueter au moindre faux pas.

À peine plus chaleureux qu'un iceberg dérivant au large du cercle polaire, il m'a demandé :

– Alors, vous en êtes où de votre nouveau modèle publicitaire dont m'a parlé Dom ?

– On est encore dans une phase préliminaire. En revanche, notre produit de recommandation de blogs continue à se développer très bien. C'est une belle illustration de la puissance de nos algorithmes…

– Mais pas de comment vous allez faire de l'argent, m'interrompit-il. Franchement, je n'ai toujours pas bien compris comment vous allez vous différencier. Au final, votre technologie, qu'est-ce qu'elle a de si spécial ?

Je sentais le vent du boulet. C'était la question cruciale. S'il ne croyait pas dans la technologie, tout le reste du discours s'écroulait. Mais, d'un autre côté, je ne voyais pas comment j'allais lui expliquer de manière simple les subtilités de notre algorithme. C'était un pur financier. Au mieux, l'exposé ne pouvait que l'ennuyer. Au pire, cela lui donnait un bon prétexte pour me congédier et finir tranquillement ses œufs au bacon. Je réfléchissais à toute vitesse à ce que j'allais bien pouvoir dire. Et enfin, je me lançai, avec l'énergie du désespoir :

– Le mois dernier, notre moteur de recommandation de films a été classé parmi les meilleurs du concours Netflix. Il y a des centaines d'équipes dans le monde qui se sont cassé les dents dessus. Cela montre bien que c'est la meilleure technologie du marché !

Tel Yoda le sage, ma plaidoirie quasi en forme de supplique l'a laissé de marbre. Quand nous sommes sortis, j'étais perplexe. Quelques jours après, cependant, Dom m'appela. Hourra, ils acceptaient de rentrer dans le tour de table. Très modestement, je me suis dit : « J'ai vraiment assuré. Je l'ai retourné comme une crêpe, ce grand financier. Poussez-vous, c'est moi, le nouveau Steve Jobs ! »

Je n'ai appris la vérité que bien plus tard. En fait, le *big boss* anglo-saxon avait trouvé l'histoire de Criteo franchement… pas convaincante. Mais, comme Dom venait de rejoindre l'équipe, le grand patron avait décidé de le laisser faire sa bêtise, à savoir investir dans Criteo. Vertu pédagogique bien sûr. Rien de tel que se tromper un peu au début pour apprendre vite le métier complexe d'investisseur. L'ironie est que Criteo, qui aurait dû être un petit raté sans conséquence, vite oublié, soit devenu au fil des années un des plus beaux coups financiers d'Index Ventures. Comme quoi, le métier de capital-risqueur est bien imprévisible.

Évidemment, avec l'arrivée de ce très beau fonds anglo-saxon qui décidait d'investir 4 millions d'euros, nos actionnaires historiques ont comme par magie retrouvé le sourire. Ils ont accepté avec empressement de suivre à hauteur de 3 millions supplémentaires. Nous avions gagné un répit. Avec les 7 millions de cette nouvelle levée de fonds, nous avions désormais le temps et les moyens pour développer notre nouvelle idée. Restait à prouver que notre technologie pouvait bien s'appliquer à la publicité. Et si possible à grande échelle.

4

La ménagère de moins de cinquante ans est morte

Où nous prenons des cours de rattrapage sur le business de la publicité

Tout va plus vite dans le secteur du numérique. Autrement dit, chaque année numérique est sans doute l'équivalent de dix ans du monde traditionnel. À notre petite échelle, nous avons l'impression d'expérimenter une sorte de distorsion du temps. Un peu à la manière de ces astronautes du film *Interstellar* qui s'approchent d'un trou noir et qui voient leur échelle de temps décrocher de celle du reste de l'humanité. Enfermés dans leur bulle temporelle, ils sont pris dans une course contre la montre.

Pour les start-up, tout doit aller plus vite, car sinon vous mourez. Début 2008, nous avions désormais les moyens de nos ambitions. Il était temps de passer à la phase opérationnelle et de développer en vrai le nouveau modèle que nous avions vendu à nos investisseurs. Et il fallait le faire rapidement, avant que d'autres ne prennent position les premiers sur ce marché.

Un matin, Pascal Gauthier, mon nouveau directeur commercial fraîchement recruté, est venu me voir tout excité. Pascal avait été formé chez Kelkoo à bonne école, sous l'aile bienveillante de Dom Vidal. Lorsque j'avais fait sa connaissance, il ne m'avait pas fallu longtemps pour comprendre qu'il avait une énergie et un flair hors pair. Il me déclara :

– J'ai rencontré hier un de mes anciens collègues qui travaille dans une régie publicitaire. C'était vraiment intéressant de comprendre son mode opératoire. Mais quelque chose m'a titillé pendant toute la conversation. Il n'arrêtait pas de se vanter qu'il avait le meilleur *ad server* du marché.

– C'est quoi un ad server ?

– Je ne sais pas trop, me répondit-il avec franchise. Mais j'imagine que ça doit être important, sinon il n'aurait pas insisté autant dessus.

Ad server, soit en bon français « serveur de publicité ». Oui, cela devait être important dans le secteur que nous convoitions, mais moi non plus je n'avais pas une idée très claire de ce que c'était. Me voilà à me précipiter sur Google pour faire une petite recherche sur le sujet. Magie des moteurs de recherche. Au bout des doigts, Google nous offre cet accès en quelques clics à tout ce qui nous passe par la tête, que ce soit la théorie des cordes, la composition des champignons hallucinogènes, la sémantique de Freud ou les premiers ptérosaures. Sur les ad servers, il y avait bien sûr de nombreux sites business et marketing. J'ai vite trouvé une quantité d'informations. Un ad server, c'est, en gros, un logiciel technique pour communiquer avec les sites Internet à qui vous voulez acheter des emplacements publicitaires. Autant dire que c'est une brique fondamentale si – comme nous – vous voulez vous lancer dans la publicité sur Internet.

Voilà un problème typique quand vous pivotez sur un sujet à propos duquel vous ne connaissez pas grand-chose. Rien que pour se mettre à niveau, il faut une sacrée session de rattrapage sur des choses qui sont évidentes pour les initiés. J'étais comme Candide qui se lancerait en boulangerie sans savoir ce qu'est la farine.

Muni de mon savoir fraîchement acquis, j'ai foncé voir Romain. Je lui ai donné les liens que j'avais trouvés sur les ad servers. Sa mission était de creuser le sujet et de voir comment nous pourrions construire notre propre ad server. Comme d'habitude, il n'avait pas l'air effrayé par la tâche. Décidément, mes deux associés me bluffaient toujours autant par leur maestria technique.

Trois mois plus tard, tout était en place. Nous avions cette fameuse plateforme permettant de faire communiquer ceux qui voulaient acheter de la publicité avec ceux qui vendaient de l'espace publicitaire. Il était temps de faire notre premier « mariage », une jolie union entre une société souhaitant augmenter son chiffre d'affaires par la publicité et une société qui avait des emplacements publicitaires invendus. Criteo serait l'entremetteur, l'acteur permettant de faire travailler ensemble cette paire faite pour se rencontrer. En fait, les deux époux idéaux, nous les avions déjà trouvés.

Quand PriceMinister rencontre Skyblog

Pour ce premier test, pas question d'aller chercher du côté des grosses entreprises traditionnelles. Quand un petit inconnu les contacte, la plupart ne prennent même pas la peine de décrocher le téléphone. Il se trouve que, au cours d'un des nombreux événements autour du numérique, j'avais croisé l'emblématique patron fondateur du site PriceMinister, Pierre Kosciusko-Morizet, alias PKM. PriceMinister, c'est la start-up qui vous propose de gagner de l'argent en revendant vos cadeaux de Noël, vos vieux livres et autre objets usagés en tout genre. C'était une magnifique réussite du Web français, à l'époque encore indépendante. Du fait d'un modèle économique qui fonctionnait avec de faibles commissions sur les produits vendus, PriceMinister ne pouvait se permettre de dépenser des fortunes en achat publicitaire. Comme tout bon entrepreneur du numérique, PKM est aussi quelqu'un qui sait fort bien ce que cela veut dire de peiner quand vous lancez votre produit. Il avait encore en tête son propre démarrage, qui s'était fait à la rude époque suivant l'éclatement de la bulle Internet. Lorsque je l'ai contacté, PKM n'a pas hésité à nous donner notre chance avec ce premier test.

Du côté vente d'espaces publicitaires, nous avions décroché Skyblog, la plus importante plateforme de blogs francophone adossée à la radio Skyrock. Le fondateur de cette radio libre avait eu une idée de génie en lançant sa plateforme de blogs, qui avait connu un succès immédiat auprès des jeunes. En 2008, cette époque lointaine où Facebook n'avait pas encore assuré sa complète domination sur le Web social mondial, les Skyblogs avaient alors une audience phénoménale en France, avec des milliards de pages vues chaque mois sur leur site. Seulement voilà, les Skyblogs offraient un contenu assez hétéroclite, très tourné vers les adolescents, en tout cas beaucoup trop pour que les annonceurs se précipitent sur le site. Bref, malgré leur indéniable succès d'audience, les Skyblogs avaient beaucoup d'espaces publicitaires invendus.

Pour tester notre technologie sur un cas réel, nous voilà donc à acheter des espaces publicitaires sur Skyblog pour le compte de PriceMinister.

Un test comme ça, dans la pratique, comment cela se passe-t-il ? PriceMinister nous avait autorisés à analyser la navigation des internautes sur leur site. En moulinant des millions de données (quels sont les types de produits consultés, quand l'internaute clique-t-il, que met-il dans son panier ?), nous étions parvenus à décrypter peu à peu les intentions d'achat des consommateurs. Plus précisément, à prédire quel produit spécifique était susceptible d'intéresser tel internaute en particulier. Des livres, des jouets, des CD, des objets de décoration... Un site comme PriceMinister propose un éventail de produits qui se comptent en millions. Dans cet univers des possibles très large, choisir le bon produit pour la bonne personne au bon moment semble être mission impossible. Mais, grâce à nos années de travail sur nos algorithmes de recommandation, la technologie de Criteo permet justement de réaliser cet exploit.

Si vous avez passé du temps à regarder différents modèles de baskets Adidas, vaut-il mieux vous montrer le modèle dernier cri de la marque ou au contraire celui de Nike ? Et quand vous venez d'acheter un appareil photo Canon, vaut-il mieux proposer une extension mémoire ou plutôt une sacoche de voyage ? Grâce au *big data*, l'analyse massive des données de navigation de millions d'internautes, Criteo est capable d'apporter une réponse pertinente.

Imaginez un internaute lambda qui a passé quelques minutes à consulter la rubrique appareils photo sur PriceMinister. Quelques heures plus tard, le voilà sur Skyblog en train de lire les dernières nouvelles sur le blog d'un de ses copains ou d'une de ses copines. C'est à ce moment que le moteur de recommandations de Criteo doit en une fraction de seconde pousser le bon produit dans la bannière publicitaire, disons par exemple un appareil qui permet de prendre des photos sous-marines. Si le produit présenté attire suffisamment son attention, l'internaute aura alors peut-être envie de cliquer sur la bannière en question. Cela aura pour effet d'ouvrir le site de PriceMinister directement sur la page du produit concerné. Ensuite, en quelques clics, l'internaute pourra finaliser son achat en rêvant à sa prochaine expédition de plongée.

Ce type de publicité scientifique ultra-ciblée est très efficace. Beaucoup plus en tout cas que l'approche traditionnelle qui consiste à arroser à l'aveugle n'importe quel internaute avec n'importe quel produit. Nous avons vu très vite avec ce premier test entre PriceMinister et Skyblog que l'indifférence supposée des internautes pour la publicité sous forme de bannières est un mythe. Si vous leur proposez le bon produit qui les intéresse vraiment, ils se mettent à cliquer de manière massive sur ces fameuses bannières.

Quand l'internaute se met à aimer la publicité

Me voilà donc en juin 2008 à présenter tout fiévreux les premiers résultats devant notre conseil d'administration.

– Alors, qu'est-ce que ça donne, votre test avec PriceMinister ? démarra Dom, qui était maintenant embarqué dans l'aventure avec nous depuis bientôt six mois.

– Les résultats sont intéressants, dis-je un peu vaguement. Nous avons augmenté le taux de clic de 25 % par rapport aux bannières de publicité traditionnelles…

– C'est très encourageant, dit-il, toujours positif.

– L'ennui, c'est que ce n'est pas suffisant pour inciter Skyblog à nous vendre son espace publicitaire à un prix attractif.

Un silence un peu morne s'est installé dans la salle du conseil. Mes investisseurs ne savaient plus trop quoi dire. Il faut avouer que nous les avions tellement habitués à des déceptions qu'il y avait de quoi devenir fatalistes.

J'ai continué, imperturbable :

– Mais il y a une solution. Nous nous sommes rendu compte que, si nous isolions les 30 % d'internautes sur lesquels nous avions le plus d'historique de données de navigation, bref, ceux que nous connaissons le mieux, nous parvenons à générer un bien meilleur taux de clic.

– Combien ? Combien ?

L'intérêt de la salle s'était brusquement intensifié. J'attendis quelques secondes pour ménager mon effet, et je lâchai :

– Nous multiplions par cinq le taux de clic.

Le chiffre était tellement énorme que cela paraissait presque trop beau pour être vrai. Pourtant, nous avions vérifié et revérifié dans tous les sens. L'amélioration du taux de clic était vraiment spectaculaire. Avec cela, nous le pressentions, Criteo était capable de révolutionner le marché de la publicité sur Internet. Ce n'est pas tous les jours que vous avez à portée de main de telles opportunités.

Dès le lendemain, nous nous sommes attelés à confirmer que ces résultats extraordinaires n'étaient pas juste le fruit d'un heureux concours de circonstances. Nous avons commencé à appliquer ce modèle sur d'autres grands e-marchands français, comme les 3 Suisses ou La Redoute. Chaque fois, cela fonctionnait. Ce fameux taux de clic était à un niveau très supérieur à tout ce que les clients avaient vu auparavant. Et en offrant notre service à toujours plus de clients, nous étions de plus en plus crédibles. Nous avons pu commencer à inciter de grands médias à nous vendre leur espace publicitaire, ce qui par contrecoup renforçait l'attractivité de notre solution pour nos clients. Ils savaient que nous pouvions désormais cibler les internautes non seulement sur les Skyblogs, mais aussi sur le portail Yahoo! ou le site Internet du *Monde* et un nombre croissant d'autres médias Internet.

Très vite, nous avons aussi été confrontés à un autre problème. Quel marchand faut-il afficher pour un internaute qui s'intéresse à une multitude de produits très différents au même moment ? En clair, si vous aviez à la fois un intérêt pour un voyage sur Expedia, pour des livres d'art sur PriceMinister et pour des maillots de bain chez La Redoute, lequel de ces trois-là devait s'afficher dans la bannière publicitaire lorsque vous lirez *Le Figaro* ? Pour cela, nous nous sommes inspirés du modèle d'enchères en temps réel qui avait fait le succès du modèle de Google. Autrement dit, la bannière publicitaire est adjugée au plus offrant, soit le client qui est prêt à payer le plus cher cet internaute précis à ce moment précis.

J'ai conscience que ce monde de la publicité numérique a quelque chose d'ésotérique. Expliquer mon métier à des non-initiés n'est pas un exercice facile. Je m'entraîne régulièrement avec mes enfants.

– Alors, les filles, vous pouvez m'expliquer ce que fait Criteo ?

– C'est facile. Quand je vois une PlayStation sur le site de la Fnac, Criteo s'en souvient. Si après je quitte la Fnac, je vais revoir plus tard la PlayStation sur d'autres sites.

– C'est à peu près ça. Et comment on gagne de l'argent ?

– Tu gagnes de l'argent si je clique sur la bannière. Et au fait...

– Au fait quoi ?

– La PlayStation, tu peux me l'acheter ? Allez !

– On ne va pas reparler de ça...

Faut-il avoir peur de la publicité ciblée sur Internet ?

J'entends déjà les critiques. Criteo serait le nouveau Big Brother sur nos écrans, épiant le moindre de nos gestes. Je comprends tout à fait ces réactions. De manière générale, dans les enquêtes d'opinion, les gens déclarent être très sensibles à la protection de leur vie privée, et c'est normal. C'est d'ailleurs assez paradoxal quand on constate avec quel enthousiasme ils confient sans réfléchir leur vie personnelle à des Facebook, Twitter ou Google, qui manipulent des données personnelles parfois extrêmement sensibles. De plus, l'apparition de l'Hadopi en France et de ses équivalents internationaux évoque à juste titre une société de surveillance généralisée. Plus récemment, les révélations sur certaines pratiques de la NSA ont alimenté une méfiance bien légitime sur le « fliquage » croissant des internautes à l'échelle mondiale.

Dès le début de Criteo, nous avons pris très au sérieux le sujet de la protection de la vie privée des internautes. Tout d'abord, un principe fondamental de notre approche est de ne travailler que sur des données anonymes. Oui, anonymes, je le répète, car c'est très important. Non seulement nous n'avons aucun moyen technique de remonter à la vraie identité des personnes qui surfent sur leurs ordinateurs (la conséquence, c'est que les serveurs de Criteo ne seraient d'aucune utilité pour d'éventuelles enquêtes de police sur un individu précis), mais nous n'avons aucune envie d'aller dans cette direction. Ce que nous cherchons à comprendre, ce sont les *intentions d'achat* d'une personne, rien d'autre. Tout ce qui concerne son identité personnelle ne nous sert à rien. Le nom, l'âge, le sexe et plus généralement les données socio-économiques d'un individu ne sont d'aucune utilité pour prédire si demain un internaute est susceptible de vouloir acheter un nouveau téléphone ou une paire de chaussures.

Ne traiter que des données parfaitement anonymes, c'est un bon début. Mais très vite dans l'histoire de Criteo, nous avons voulu aller au-delà.

Au printemps 2009, nous voilà avec une bonne centaine de clients, le service était en croissance rapide. Les clients nous plébiscitaient, les internautes cliquaient en masse sur nos publicités et, mieux encore, achetaient ensuite les produits chez nos marchands. Bref, tout se passait à merveille. Mais il y avait une petite note discordante. Un commercial m'avait averti que certaines plaintes étaient remontées des services clients. Certains consommateurs se sentaient traqués à leur insu.

Cela m'alarma tout de suite.

Nous avions certes commencé à répondre par e-mail à chaque plainte qui arrivait jusqu'à nous. Nous proposions aux internautes mécontents d'effacer toutes leurs données, et bien sûr qu'ils ne soient plus ciblés à l'avenir. Mais cette solution trop passive n'était qu'à moitié satisfaisante.

Je voulais aller plus loin. Il ne fallait pas qu'il puisse y avoir le moindre soupçon de contrainte sur le service. Nous avons décidé de donner aux consommateurs les moyens de décider par eux-mêmes s'ils souhaitaient être ciblés ou non. Comment ? Dans chaque bannière de publicité, nous avons rajouté un bouton bien visible. En cliquant dessus, l'internaute peut voir l'intégralité des données collectées et les recommandations induites par le moteur. Avec la possibilité en un clic de tout effacer et de refuser tout ciblage à l'avenir.

Au départ, beaucoup de nos clients étaient très réticents devant cette nouveauté. Ils trouvaient que le produit marchait bien ainsi, alors pourquoi se compliquer la vie ? Si tous les internautes se mettaient à refuser de recevoir de la publicité ciblée, c'était la fin du service Criteo. Mais nous avons tenu bon. Encore une fois, nous voulions assurer l'avenir à long terme, et la coopération des consommateurs était indispensable au succès du projet.

L'avenir nous a donné raison. L'immense majorité des internautes apprécie de voir des publicités qui correspondent à leurs centres d'intérêt et qui leur font parfois découvrir des produits inattendus. En leur donnant la possibilité de refuser le ciblage en un clic, notre service a gagné leur confiance.

Mettons par exemple que vous ayez besoin de bonnes chaussures de course pour vous entraîner au semi-marathon. Vous n'avez ni le temps ni l'envie d'aller écumer les magasins ou tous les sites spécialisés pour comparer les différentes marques. Vous avez fait une vague recherche sur Zalando sans être allé au bout de votre démarche. Vous êtes en train de lire votre quotidien favori en ligne, et voilà une publicité pour la nouvelle paire de Nike spéciale coureurs de fond. C'est juste ce qu'il vous faut, et en plus elles sont en promotion. Hop ! Vous cliquez et achetez dans la foulée. Et vos chaussures arrivent chez vous en trois jours, miracle des e-commerçants. Vous vous êtes épargné de faire la queue dans le magasin de sport près de chez vous, bondé comme toujours le samedi après-midi. Pas si mal, en fait.

Nous avions découvert quelque chose de crucial, les publicités bien ciblées sont plébiscitées par les consommateurs, en témoignent les millions de clics et achats via nos bannières. Comme quoi, lorsque vous proposez le bon produit au bon moment, la publicité n'est plus vue comme une nuisance, mais plutôt comme un service pour faciliter la découverte et l'achat.

La rupture avec la publicité traditionnelle

Au-delà de cette capacité de ciblage très fin, nous avons apporté une autre innovation majeure au marché. Dès le début, nous avons décidé de ne faire payer nos clients, comme PriceMinister, que si l'internaute cliquait sur leur bannière. L'inspiration est venue là aussi de Google, qui a été le premier à lancer ce modèle avec ses liens sponsorisés. Quand Canon paie à Google le droit d'arriver en tête des recherches quand vous tapez « appareil photo », il n'est en effet facturé qu'en fonction du nombre de fois où les internautes cliquent sur le lien publicitaire en question.

C'est un modèle en rupture avec la pratique des acteurs traditionnels, qui facturent la bannière publicitaire quoi qu'il arrive. D'autant que Criteo s'engage bien sûr à payer au *Figaro*, au *Monde*, ou à n'importe quel éditeur tout l'espace publicitaire que nous leur achetons, quel que soit le taux de clic. Bref, tout le monde est gagnant, nos clients comme les médias vendeurs d'espace.

Bien sûr, cette révolution technologique fait grincer quelques dents. Certains acteurs de l'ancienne économie n'admettent toujours pas notre manière de faire. Je me vois encore en train d'expliquer patiemment notre modèle à un vieux routier de l'industrie qui avait quinze ans de plus que moi. Tout de suite, je l'ai senti légèrement hostile.

– La publicité, c'est avant tout un outil qui doit agir sur le subconscient, me lança-t-il d'un ton un peu professoral. Notre métier, c'est d'influencer les consommateurs dans la durée. Et pour ça, les taux de clic n'ont aucune valeur. Les gens qui cliquent n'achètent jamais, c'est bien connu. Votre modèle économique vous pousse juste à envoyer un maximum de clics à vos clients pour les surfacturer.

Je sentais qu'il s'énervait au fur et à mesure de sa tirade. J'ai répondu le plus calmement possible :

– Nous ne regardons pas que les clics. Notre but, c'est aussi de convertir le maximum de clics en achats bien réels. Et c'est ce qui se passe, nos clients en témoignent.

– De toute façon, les internautes qui cliquent sur des bannières sont des *losers*, m'a-t-il coupé.

J'étais si estomaqué que j'en suis resté coi. Mais qu'importe. Le mouvement est en marche. La publicité a changé, va changer. Les internautes ignorent depuis longtemps la pollution visuelle de certains encarts intrusifs. Ceux qui viennent clignoter en masquant l'article que vous êtes en train de lire sont particulièrement agaçants. Chez Criteo, jamais nous n'avons proposé ce genre de format, exaspérant pour l'internaute. Nous cherchons à ce que la publicité soit perçue comme informative, qu'elle soit un élément à valeur ajoutée de la page, et non juste un bête encart qui clignote et fait de la lumière.

Oubliez la ménagère de moins de cinquante ans

À l'époque de l'émergence de la production de masse, les pionniers ont inventé la publicité de masse. Identifiant des groupes de consommateurs types, on avait la femme Playtex, l'ado Coca-Cola, la famille Heinz... L'individu n'existait que par son appartenance à un segment cible.

En s'appuyant sur le numérique et la technologie, nous proposons une nouvelle manière d'aborder la publicité. Au lieu de cibler les gens sur *ce qu'ils sont* (sous forme de stéréotypes comme la ménagère de moins de cinquante ans, le jeune féru de sport, le cadre supérieur avec enfants...), nous nous concentrons sur *ce qu'ils veulent* (un nouveau téléphone, un canapé, des vacances au soleil...). C'est une vraie révolution conceptuelle.

À un instant donné, des gens a priori très similaires s'intéressent à des choses très différentes. Et des gens très différents veulent acheter la même chose. Pour nous, peu importe que vous soyez une femme active, un adolescent ou un senior. Ce qui compte, c'est de comprendre qu'à ce moment précis cet internaute spécifique souhaite s'acheter un nouveau grille-pain (parfois les signaux sont très subtils à détecter). Pour finaliser son choix, cette personne sera a priori réceptive quand il s'agira de découvrir la panoplie de l'offre de grille-pain : rouge, inox, chaleur tournante ou horizontale. Quant aux autres, qui soit ne mangent pas de tartines grillées, soit sont déjà bien équipés, Criteo essayera de leur épargner ce défilé fastidieux de grille-pain.

Prédire qui va acheter quoi et quand

Nous n'en sommes encore qu'au tout début de ces grands bouleversements. J'avoue que je trouve passionnant d'observer comment notre modèle monte en puissance. Nous avons désormais intégré la révolution mobile. Ces petits écrans nomades devant lesquels les consommateurs passent énormément de temps représentent un nouveau terrain de jeu très prometteur. Le commerce électronique se fait désormais de plus en plus sur son smartphone ou sa tablette.

Notre métier est de prédire les intentions d'achat. Au fil du temps, nous avons ainsi découvert que beaucoup de choses influent sur l'acte d'achat. Quelle heure de la journée est-il ? Le matin est plus propice aux smartphones, la journée aux ordinateurs traditionnels, tandis que dans la soirée nous constatons une forte montée des tablettes. Quel jour de la semaine sommes-nous ? Le week-end est beaucoup plus marqué en Europe qu'aux États-Unis. D'où vient l'internaute en question ? Quel contenu est-il en train de regarder ? Sur les réseaux sociaux, il est dans un mode d'échange avec sa tribu et donc en général moins réceptif à la publicité. Au contraire, sur un site d'information, l'internaute a davantage l'esprit enclin à découvrir des nouveaux produits. Même la météo a un impact important sur notre activité. Chez Criteo, nous aimons bien les jours de pluie, car les gens passent plus de temps devant leurs écrans et achètent davantage en ligne.

Un nouveau départ

Que de chemin parcouru. Pour Criteo, les trois premières années, entre 2005 et 2008, ont été difficiles. Nous avions l'impression de nous taper la tête contre les murs sans jamais réussir à trouver la solution. Cette période un peu sombre nous a marqués. La persévérance est maintenant une valeur profondément ancrée dans les gènes de la société. Quand à l'été 2008 le produit a enfin montré son vrai potentiel, tout s'est accéléré d'un coup. Dès la fin 2008, nous nous sommes dit qu'il fallait aller très vite à l'international. Nous avons commencé à déployer la solution à tour de bras dans les pays limitrophes de la France. En mai 2009 vint une réunion clé du conseil d'administration, qui allait donner un nouveau cours à notre histoire.

– Avec la dynamique actuelle, je pense que nous sommes en train de sortir du budget, ai-je commencé à expliquer.

– Tu veux dire que Criteo ne va pas réussir à tenir l'objectif de 10 millions d'euros de chiffre d'affaires que nous nous étions fixé en début d'année ? demanda Marie Ekeland.

Je m'étais mal exprimé, mais rappelons-le, nous n'avions pas vraiment habitué nos investisseurs à des chiffres mirobolants. Je n'en ai donc que davantage savouré mon effet.

– Ce que je veux dire, c'est qu'au train où vont les choses nous n'allons pas faire 10 mais 15 millions d'euros cette année. La croissance s'accélère très rapidement en France. Et l'Allemagne, le Royaume-Uni et l'Italie sont en train de suivre la même trajectoire. En fait, je me demande si ce ne serait pas le bon moment pour viser encore plus haut.

Un silence curieux et attentif s'est fait dans la salle du *board*. Dans beaucoup de start-up vient ce moment crucial où vous devez choisir entre mettre le turbo ou consolider les positions acquises. Consolider ? Dans notre cas, c'était hors sujet. Je ne me voyais vraiment pas calmer le jeu alors que tout poussait au contraire à aller encore plus vite. J'avais fait cette erreur avec Kiwee. Quand tous les compteurs sont au vert, il faut accélérer comme si demain était le dernier jour de sa vie.

J'ai embrayé :

– Nous sommes déjà rentables en Europe avec une croissance qui ne faiblit pas. C'est le moment ou jamais de tenter les États-Unis.

Nouveau silence dans la salle. Mais cette fois un silence compréhensif. Vu les chiffres qui augmentaient de plus en plus vite, mois après mois, mes investisseurs avaient maintenant une grande confiance dans l'avenir de la société. Quel changement d'atmosphère par rapport à dix-huit mois plus tôt !

Dom Vidal prit alors la parole pour résumer le sentiment général :

– Nous te suivons. S'il le faut, nous sommes même prêts à remettre au pot. Mais, concrètement, comment comptes-tu t'y prendre ? Vas-tu recruter quelqu'un pour gérer la filiale américaine ? Ou envoyer quelqu'un là-bas ?

– Le marché américain est beaucoup trop complexe pour être piloté à distance. Il faut que j'y aille moi-même. Le temps d'obtenir un visa de travail, je devrais pouvoir déménager ma famille d'ici deux mois dans la Silicon Valley.

Comme vous pouvez l'imaginer, la nouvelle a fait l'effet d'une petite bombe. Je leur annonçais tout de même un sacré changement. Et tout ça pour dans deux mois. De mon côté, j'avais bien réfléchi à la question. Nous en avions bien sûr parlé avec ma femme. Les États-Unis, pourquoi pas ? Ce n'était finalement pas plus fou que de démarrer une saladerie et de s'improviser experts en soupes bios. En soi, l'idée de partir à l'étranger, de se frotter à de nouveaux horizons et de permettre à nos filles d'élargir leur univers en se dotant d'une double culture était très séduisante. Bref, quand j'ai évoqué avec ma femme ce projet d'aller s'installer en Californie, elle n'a pas hésité. D'autant que, ne travaillant plus que par intermittence en free lance sur du développement de sites Internet, elle était parfaitement mobile.

C'était plus compliqué pour mes investisseurs. Ils s'inquiétaient de ce changement radical pour Criteo. Il fallait continuer à gérer l'équipe en Europe. Je comptais faire des allers-retours tous les mois. Dom m'a demandé pourquoi je n'envisageais pas plutôt la côte est comme première implantation. New York était en train de monter en puissance dans le numérique. Le décalage horaire avec la France n'y était que de six heures. Les trois heures supplémentaires avec la Californie, cela faisait une grosse différence. J'ai écarté l'hypothèse. Tous nos principaux partenaires étaient sur la côte ouest – Google, Yahoo!, Microsoft, Amazon. Et Facebook, le petit nouveau dont tout le monde commençait à parler. Tant pis pour les neuf heures de décalage horaire, je ne me voyais pas autre part qu'en Californie.

Le deal était scellé. C'était le moment de jouer quitte ou double. Avec ma famille et pour tout bagage quatre grosses valises, nous sommes partis. Direction la Valley.

5

La conquête de l'Ouest

La patrie des geeks

« L'Amérique, l'Amérique, je veux l'avoir, et je l'aurai. » La chanson mythique de Joe Dassin me trotte dans la tête. Je me rappelle encore ce sentiment d'excitation qui m'a saisi lorsque nous avons débarqué avec ma famille à l'aéroport de San Francisco. Cette sensation de repartir de rien, à un endroit où tout semble possible. Il suffit de rouler sur la 101 – prononcez « one O one » –, la voie rapide qui traverse du nord au sud la Silicon Valley, de San Francisco à San José, pour vous rendre compte que vous êtes sur une autre planète. Ce qui m'a le plus frappé ? Ces panneaux gigantesques le long de l'autoroute, sur lesquels, au lieu des habituelles réclames pour les shampoings, on vantait des solutions de sécurité informatique ou des logiciels de productivité pour start-up. Bref, des publicités pour geeks. Après tout, quoi de plus naturel au cœur de leur royaume, justement ?

À Hollywood, tout le monde semble être un aspirant acteur ou avoir un scénario sous le coude. Ici, dans la Valley, du serveur chez Starbucks au chauffeur de taxi Uber, chacun a un business plan sur son smartphone et se rêve comme le prochain Steve Jobs. Oui, ici, vous êtes vraiment dans le futur. Pas seulement parce qu'une partie disproportionnée des nouveaux produits high-tech sont conçus dans la région (plus personne ne se retourne sur les Google Cars, qui ont déjà parcouru des centaines de milliers de kilomètres en Californie en conduite autonome sans l'intervention d'un chauffeur). Mais aussi pour une petite chose toute simple. La Californie, c'est quasiment le dernier fuseau horaire de la planète. J'adore cette sensation de me lever le matin alors que le monde entier a déjà fini ou presque sa journée. Moi, au contraire, j'ai encore tout le temps devant moi. Dans ma boîte mail, j'ai une centaine de messages, une synthèse de ce qui a été pensé, réfléchi, discuté par les équipes sur tous les fuseaux horaires qui ont travaillé avant moi. Quelle chance d'avoir sous la main toute cette matière, toute cette intelligence collective pour attaquer la journée.

Premières mésaventures dans la Valley

En cet été 2009, je débarque avec ma petite famille, avec ce statut de fondateur d'une start-up qui commence à bien marcher. Je ne peux m'empêcher de me rappeler le premier voyage initiatique que j'avais fait dans la Silicon Valley, plus de dix ans auparavant. C'était à l'automne 1998. Ni Facebook, ni Twitter, ni même Google n'étaient encore sur la carte. J'avais alors vingt-neuf ans. J'étais sorti échaudé, mais pas découragé, de ma première aventure entrepreneuriale, Kallback, cette société qui aspirait à faire baisser les prix des télécommunications internationales. Je l'ai déjà dit, cette première expérience fut un fiasco total. J'avais ruminé cet échec. Internet était le futur et j'étais obsédé par l'idée de rattraper mon retard sur le monde des start-up. Dès que j'ai pu, j'ai négocié un congé sans solde de trois mois, que mon employeur de l'époque m'a accordé à contrecœur. J'ai fait mon sac illico, et je suis parti, le cœur léger, vers ce qui était notre Katmandou, pour moi et pour tous les geeks.

L'idée que j'avais en tête en cette fin 1998 ? Convaincre une start-up californienne de m'accorder la licence de sa technologie pour monter l'activité équivalente en Europe. Je me suis installé à San Francisco. Avec ce début de bulle Internet qui couvait, la ville était – déjà – horriblement chère. Afin de ne pas trop entamer le petit pécule que j'avais péniblement amassé depuis trois ans pour lancer mon prochain projet, il me fallait un hébergement le moins coûteux possible. J'ai bien tenté ma chance auprès d'une riche cousine éloignée qui vivait seule avec son mari dans une énorme maison cossue du centre de San Francisco, mais elle a fait mine de ne pas comprendre. J'ai alors fini dans le plus minable des motels de la ville, une chambre ultra-glauque à 10 dollars la nuit, avec pour seul mobilier un simple lit en fer et une ampoule nue qui descendait du plafond au bout d'un fil électrique. Pour les toilettes et la douche, il fallait faire la queue dans le couloir avec la faune assez patibulaire qui peuplait les lieux.

Mais peu m'importait. Ce qui comptait, c'était mon projet. Trois mois durant, j'ai sillonné la Vallée à la recherche de la perle rare. À force de persévérance, j'ai été reçu par un certain nombre de start-up locales. Mais on m'écoutait d'une oreille distraite. À la fin des réunions, chaque fois je me faisais éconduire. Comment m'en étonner ? J'étais un parfait inconnu sans aucune référence ni crédibilité. J'ai ainsi enchaîné les rendez-vous en vain pour finir par faire chou blanc. Au bout de ces trois mois, retour à la case départ à Paris. En France, la fièvre Internet commençait à se répandre chaque semaine un peu plus. Et moi, je rongeais mon frein. Je n'avais aucune idée de par où commencer. Vint cette chaude soirée de juillet 1999 sur une terrasse de l'île Saint-Louis. Je m'en souviens comme si c'était hier. J'étais attablé à boire un panaché avec un ami que je n'avais pas vu depuis longtemps. Nous nous enquérions de nos vies professionnelles. Et lui, il m'a sorti tout de go :

– J'ai monté il y a six mois une start-up dans les services financiers avec trois associés. Nous venons de lever 2 millions, cela va cartonner.

Un électrochoc m'a alors traversé le cerveau. Comment se faisait-il que lui, que je voyais comme l'archétype du salarié traditionnel, ait réussi à monter son entreprise et à lever des fonds ? Et que moi qui me flattais d'être un entrepreneur, moi qui revenais de ce voyage dans la Silicon Valley, moi qui parlais en boucle de monter ma boîte, je n'aie toujours rien fait ? J'étais furieux contre moi-même.

Le lendemain matin, j'ai donné ma démission à mon chef. Je n'avais aucune idée de ce que j'allais faire mais, comme j'étais maintenant dos au mur, je me disais que ce serait une façon de forcer le destin. Il allait bien se passer quelque chose. Il le fallait. Et c'est comme cela qu'est née Kiwee, ma start-up spécialisée dans les sonneries de téléphonie mobile. Kiwee a connu un certain développement, mais nous n'avions jamais poussé très fort à l'international. Et nous n'avions jamais envisagé sérieusement de nous attaquer à l'Everest de toutes les start-up technologiques : les États-Unis.

De l'avantage de se développer en sous-marin

Conquérir les États-Unis. C'est le rêve pour tout fondateur de start-up. La barrière est redoutable, en particulier pour ceux qui ont démarré ailleurs. Combien de sociétés européennes Internet ont percé aux États-Unis ? Quasiment aucune. Malgré ces statistiques peu encourageantes, nous étions persuadés que, pour Criteo, cela valait le coup de tenter notre chance. Nous savions que notre produit avait quelque chose d'exceptionnel. Aussi étrange que cela puisse paraître, en 2009, il n'y avait encore aucun acteur aux États-Unis qui faisait de la publicité personnalisée à la Criteo. Face à un tel vide, il aurait été vraiment dommage de ne pas tenter notre chance. Nous avions un avantage inattendu, celui d'avoir démarré notre activité en France. D'abord parce que, en France, on trouve des ingénieurs avec un très bon niveau en mathématiques. Cela nous avait permis de bâtir dès le début une technologie *scalable*. Ce barbarisme qu'on utilise au quotidien à toutes les sauces dans l'univers des start-up désigne la capacité à passer à une échelle supérieure sans buter sur de nouveaux problèmes (en passant, il est assez révélateur que ce concept crucial de « scalabilité » n'ait pas d'équivalent précis en français, mais c'est un autre débat).

En général, quand une idée est bonne, vous voyez vite apparaître sur le marché une brochette de *copycats* qui essayent de faire la même chose. Cela peut rapidement devenir la foire d'empoigne. Le second avantage d'avoir démarré Criteo à Paris, c'est que nous avions pu tranquillement grandir sous les radars. Dans le monde de la publicité numérique, où les Américains ont quasi tout inventé, qui allait imaginer qu'une innovation intéressante pourrait venir de France ? Les premières années, nous n'avons pas communiqué du tout sur notre produit. Les seuls qui étaient dans la confidence étaient nos clients. Quand, en 2011, Criteo est soudain devenu visible, nous avions déjà atteint une telle taille qu'il devenait beaucoup plus difficile de nous copier et de nous rattraper.

Palo Alto, la ville coupée en deux

Quand j'ai débarqué en 2009 dans la Valley, non plus comme aspirant entrepreneur fauché, mais comme fondateur de start-up, j'étais galvanisé. Quoi de plus excitant que de démarrer une nouvelle aventure ? C'était presque comme recréer une nouvelle start-up à l'intérieur de Criteo. Cette fois, je n'allais pas quémander à des acteurs locaux l'honneur de distribuer leur technologie en Europe. Cette fois, la technologie, c'était nous les Français qui allions l'apporter au marché américain.

Quand il a fallu chercher mes premiers bureaux, je n'ai pas hésité longtemps. Ce serait Palo Alto, la capitale de la Silicon Valley. Pour ma petite famille, nous avons déniché une jolie maison résidentielle, à mille lieues du motel sordide de 1998 (ma femme et mes filles n'auraient pas apprécié). La maison était à Palo Alto, côté ouest, car l'agent immobilier m'avait dit que, pour les écoles des enfants, je n'avais pas trop le choix. J'ai approuvé. En revanche, quand il fallut opter pour des bureaux, j'ai bien sûr cherché les moins chers. Il se trouvait qu'il y en avait, à des prix défiant toute concurrence, toujours à Palo Alto, mais côté est, de l'autre côté de l'autoroute 101. Ce que je ne savais pas, c'est que, East Palo Alto, c'est un autre monde. Il n'y a pas si longtemps, c'était le district avec le triste privilège d'avoir un des taux de criminalité les plus élevés des États-Unis.

Palo Alto est vraiment une ville étonnante. Elle est coupée en deux par la fameuse 101. Il suffit de suivre University Avenue, l'artère principale, de l'ouest vers l'est. Quand vous franchissez la 101, vous avez l'impression de passer de l'autre côté du miroir.

Ce chemin, je le faisais tous les jours, en vélo, un vélo de 15 kg en fonte chinoise acheté 80 dollars chez Walmart, qui dès que j'arrêtais de pédaler tombait presque à l'arrêt. Une jolie métaphore de la vie d'une start-up, en fait. C'était très instructif, ce trajet quotidien en vélo. Du côté ouest, les privilégiés du système. Les quartiers résidentiels aux belles allées arborées bordées de pelouses parfaitement entretenues, avec la maison de Steve Jobs et celles de tant d'autres personnages mythiques du domaine de la technologie. Les capitaux-risqueurs qui s'agglutinent sur Sand Hill Road, les Champs-Élysées de la profession. Les start-up technologiques qui occupent la plupart des espaces du centre-ville (du moins ceux où il n'y a pas de Vici). Les cafés cosy, dont l'inévitable Starbucks, où depuis déjà plusieurs années vous pouvez payer votre Frappuccino Caramel directement avec votre smartphone (ça y est, le système est enfin arrivé en France). Le restaurant italien de légende Il Fornaio, où tant de deals se sont noués autour d'une assiette de pennes aux fruits de mer, la spécialité de la maison. L'inévitable Apple Store, cathédrale de la high-tech, où en 2009 Steve Jobs venait encore en personne assister aux lancements des nouveaux produits. Dans la rue, les voitures sont rutilantes, parfois tout électriques, les gens minces, hyperactifs. Les discussions autour de la technologie et de levées de fonds bourdonnent à toutes les tables des terrasses, un joyeux mélange de jeunes geeks en jean-baskets côtoyant des investisseurs grisonnants dans leur chemise rayée impeccable. Dans un mix encore à dominante WASP (White Anglo-Saxon Protestant), les Indiens et les Chinois tiennent une place grandissante tandis que quelques Européens essayent tant bien que mal de représenter le Vieux Continent.

Du côté est, l'ambiance est tout autre. Les maisons sont grillagées, encerclées par des barrières de bois. Les cambriolages et agressions sont fréquents là-bas. La population est très mélangée, avec une dominante nette de Latinos et d'Afro-Américains. Il n'y a pas d'Apple Stores, plutôt des petits bureaux offrant des services de transfert d'argent vers l'étranger. Longtemps, les gens de l'Ouest n'osaient pas mettre les pieds à l'Est, de peur de se faire braquer. Palo Alto Est *craignait*. De quoi étonner certains de mes investisseurs quand ils ont su mon adresse.

– JB, tu es sûr de vouloir t'installer là-bas ? C'est un coupe-gorge !

Tant pis. C'était fait. J'avais déjà signé le bail. En fait, j'avoue que la situation m'allait bien. Ces premiers bureaux, ils étaient tout à fait fonctionnels, spacieux, lumineux. Et puis je savais que c'était transitoire et que nous allions vite déménager. Du bon côté, cette fois.

Métier ? Recruteuse

L'étape suivante consistait à recruter l'équipe de départ pour lancer le business américain. Je n'avais aucun carnet d'adresses local et il allait me falloir quelqu'un pour m'aider sérieusement là-dessus. J'ai appelé Toby Coppel, mon nouvel administrateur indépendant. Lorsque la décision d'aller aux États-Unis s'était cristallisée, nous avions voulu faire rentrer au *board* de Criteo quelqu'un qui soit connecté là-bas. C'est Dom Vidal qui m'avait trouvé le bon contact. De son expérience à la tête de Yahoo! Europe, Dom avait gardé un solide carnet d'adresses. La mafia des anciens du portail américain était prolifique des deux côtés de l'Atlantique. Pour presque toutes les situations que rencontrait l'hyper-croissance de Criteo, Dom avait l'art de me dénicher le profil quasi parfait. Toby avait démarré sa carrière comme banquier d'affaires et, très jeune, s'était retrouvé à diriger tous les partenariats stratégiques de Yahoo! pendant les glorieuses années de croissance effrénée du portail. Toby est d'une nature réservée, ce qui paradoxalement est redoutable pour faire parler les autres. Lui qui avait eu une carrière fulgurante, cela n'avait pas été facile de le convaincre de s'associer à une start-up française, certes prometteuse, mais encore fragile. Dom avait mis toute sa crédibilité dans la balance pour convaincre Toby de nous rejoindre. C'est à ce genre d'exploit qu'on reconnaît la valeur d'un capital-risqueur de premier plan.

De par son passé, Toby était très bien connecté dans la Silicon Valley. Tout naturellement, je me suis tourné vers lui pour lui demander conseil sur mes premiers pas américains :

– Il faut que je trouve quelqu'un pour m'aider à monter l'équipe US. Je suis en discussion avec plusieurs chasseurs de têtes, mais aucun ne m'enchante vraiment.

– Ce qu'il te faut, ce n'est pas un chasseur de têtes. Tu dois avoir quelqu'un qui ne travaille que pour toi, quelqu'un qui soit corps et âme dédié à Criteo. Autrement dit, la première personne que tu dois embaucher en interne, c'est un recruteur professionnel. Toutes les start-up dans la Valley ont un profil de ce genre. Contrairement à un chasseur de têtes externe, il sait qu'il devra travailler ensuite avec les nouveaux embauchés. Donc il fera tout pour te trouver vraiment les meilleurs.

Recruteur ? Je n'avais jamais entendu parler de ce job. Le mot m'évoquait plus des souvenirs de service militaire.

– Un recruteur ? Tu veux dire un directeur des ressources humaines ?

– Non, cela n'a rien à voir. Un recruteur, c'est avant tout un commercial. Qui va vendre la société aux personnes que tu souhaites embaucher.

Il se trouve que Toby connaissait justement la perle rare, Margo, une « chasseuse de talents » avec qui il m'a mis en relation. Comme elle avait travaillé avec Toby dans le passé, la discussion a été très simple. Il fallait cette connexion particulière pour convaincre cette spécialiste de haut vol de prendre le risque de rejoindre une start-up européenne complètement inconnue dans la Valley.

Comment devenir une start-up américaine en quelques coups de peinture

Trois jours après notre entretien, Margo était dans les bureaux, magie de la Californie où tout va si vite. Nous nous sommes tout de suite mis au travail. Mon obsession était de recruter une équipe commerciale de choc. Je commençais à énumérer à Margo toutes les qualités du vendeur idéal que je voudrais quand elle m'a interrompu avec son sourire charmeur :

– Le premier problème auquel nous avons à faire face, c'est que Criteo est une start-up française.

– Euh, tu veux dire que nous allons avoir du mal à trouver des Américains qui acceptent de travailler pour un boss français ?

– Non, le fait que tu sois français importe peu. La Silicon Valley est si cosmopolite qu'il n'est pas rare de voir des start-up locales avec des fondateurs français, allemands, indiens ou chinois. Les gens ont l'habitude.

– Mais alors, où est le problème ?

– Nous sommes une start-up étrangère, inconnue dans la Silicon Valley. C'est ça qui va compliquer les choses.

Cela avait le mérite d'être franc. Mais elle avait évidemment raison. Une start-up technologique européenne, dans l'imaginaire américain, cela n'évoque pas grand-chose. Surtout dans la Silicon Valley, où vous avez au bout de la rue toutes les plus belles start-up locales qui vous tendent les bras. Bref, c'est un peu comme si vous proposiez à Zlatan Ibrahimovic d'aller tirer des buts dans une équipe de football du Kirghizstan. Ou à Karl Lagerfeld de devenir designer pour une marque de couture bulgare. Rien d'impossible sur le papier, mais… pas gagné. Notre produit était superbe. Il y avait toutes les chances pour qu'il fonctionne aussi bien ici qu'en Europe. Il fallait juste lancer la machine pour qu'elle démarre. J'ai donc vite embrayé.

– OK. Nous allons faire en sorte que la société soit perçue comme la plus américaine possible. Déjà, je suis basé ici. C'est un symbole fort ça, non ?

– C'est le minimum. Si tu n'avais pas été ici, je n'aurais pas envisagé une seconde de venir vous rejoindre.

– Nous allons aussi dire que le siège de la société est à Palo Alto. Avec un fondateur aux États-Unis, un siège aux États-Unis, cela devrait déjà aider. Nous serons aussi américains que possible.

Et c'est comme cela que nous avons fait notre petite opération de chirurgie esthétique. Même si, d'un point de vue juridique formel, le siège social de Criteo est toujours resté en France, pendant les premières années de notre installation américaine, nous avons tout fait pour cacher cette tare honteuse (!). Sur notre site Internet officiel, à la rubrique « contact », nous avions mis le *headquarter* à Palo Alto. Moi-même, j'ai joué la carte américaine à fond. Sur mon profil LinkedIn, qui définit l'identité professionnelle de tous ceux qui travaillent dans le numérique, j'ai insisté sur mon implantation locale. Mes filles étaient inscrites dans une école américaine, j'ai commencé un régime de burgers-cheddar au ketchup, j'ai même essayé de m'initier aux règles du base-ball. C'est dire. Parfois, j'avais un peu l'impression d'être un agent secret infiltré qui prend une nouvelle identité.

Pour parfaire notre profil US, j'ai ensuite dégainé ma carte maîtresse, celle qui allait me rendre encore plus américain que les Américains. J'ai décidé de faire venir des investisseurs locaux à notre tour de table. Pour une start-up, la composition du capital, c'est toujours l'élément le plus visible. En choisissant un Vici américain, et de préférence le plus prestigieux possible, j'allais donner plus de crédibilité à Criteo. Bien sûr, j'allais devoir encore me diluer, c'est-à-dire avoir une part plus faible de Criteo. Mais qu'importe, puisque c'était le prix à payer pour conquérir l'Amérique. Margo était ravie. C'est ainsi que nous avons fait notre troisième tour de table au printemps 2010 avec Bessemer Venture, une institution du capital-risque de la Silicon Valley.

Et pourtant, malgré tout ce dispositif, malgré notre nouvel investisseur américain, malgré Margo notre recruteuse de choc, nous avons beaucoup peiné pour embaucher pendant nos deux premières années américaines. Et plus nous cherchions des profils seniors, plus c'était compliqué. Même si nous faisions tout pour faire oublier que nous étions français, il subsistait une sorte de halo négatif. Nous restions la société-qui-a-l'air-américaine-mais-qui-ne-l'est-pas-vraiment-en-fait.

Cela rendait tout plus difficile. J'ai l'exemple de ce candidat directeur financier qui, au dernier moment, a décliné notre offre car il avait soudain réalisé que les stock-options émanaient d'une société française. Son avocat lui avait fortement déconseillé de se faire rémunérer avec des titres aussi exotiques. Du coup, pour démarrer les opérations américaines, nous avons dû faire venir un certain nombre de talents de France, qui eux étaient ravis de cette expérience californienne.

À la recherche de la locomotive

Pour nous donner la crédibilité nécessaire, il nous manquait surtout quelques gros clients américains. Là aussi, ce ne fut pas une mince affaire. Je me souviens de discussions interminables avec ma jeune équipe commerciale américaine. Il fallait régulièrement remonter le moral des vendeurs pour éviter qu'ils ne se démobilisent trop vite. Il est vrai qu'ils devaient faire des efforts considérables pour convaincre les clients d'essayer une technologie non américaine.

Nous tournions en rond, revenant sans cesse au problème de base. Nous n'avions pas de référence locale. Nos centaines de clients européens ne comptaient pas ici. Tout le monde nous disait la même chose, de revenir les voir lorsque nous aurions des clients américains. Cela me semblait fou, car l'Internet marche exactement de la même façon en Europe qu'aux États-Unis. Mais rien à faire.

J'étais obsédé par un seul objectif, ferrer un gros poisson local. Un seul, mais qui aurait valeur de symbole. Il nous le fallait. Concernant le gros poisson, l'équipe commerciale justement avait débusqué un bon candidat, Zappos, le plus gros site Internet de vente de chaussures aux États-Unis. Les chaussures ne paraissent pas a priori le produit le mieux adapté à la vente sur Internet. Pourtant, en France, Sarenza et Spartoo s'étaient bien développés sur ce créneau. Et, justement, ils appréciaient beaucoup notre produit. Pouvions-nous répéter l'histoire outre-Atlantique ?

Zappos, aux États-Unis, c'était la référence idéale, car très visible et très reconnue par ses pairs. Cette start-up hors norme s'était fait connaître par une obsession poussée à l'extrême du service client et plus généralement de ce qu'ils appellent l'« expérience utilisateur ». C'était une vraie religion pour son fondateur, lequel a même écrit un livre entier dessus. Avec un pareil niveau d'exigence, ce client potentiel avait de quoi terrifier notre équipe commerciale. Mais le jeu en valait la chandelle. Nous nous sommes mis en mode chasse au laser. Objectif Zappos et rien d'autre. Après plusieurs mois d'efforts et d'angoisses, l'incroyable est enfin arrivé. Le fameux roi de la chaussure sur Internet a accepté de tester notre concept. Ils ont bien sûr surveillé comme du lait sur le feu le ressenti des internautes. Nous nous sommes contorsionnés pour leur plaire. Toutes les ressources techniques de Criteo ont été mobilisées pour créer à peu près toutes les configurations de bannière imaginables. Après moult itérations, ils ont finalement été convaincus. Quelle fierté pour la petite équipe californienne de Criteo qui, avec ce succès, a commencé à prendre confiance en elle. Une fois que nous avons décroché cette référence incontournable, tout est devenu plus simple. L'exemple Zappos a fait boule de neige. On nous prenait plus volontiers au téléphone. Les uns après les autres, les clients ont commencé à affluer en masse.

Le succès appelle le succès. Grâce à Zappos, nous avons pu faire venir des profils beaucoup plus seniors dans l'équipe US de Criteo. Comme Greg Coleman, ancien directeur commercial de Yahoo!, qui était une figure de l'industrie de la publicité. Nous l'avons convaincu de devenir notre président américain. C'était un risque pour lui. Il m'a avoué que sa femme lui avait d'ailleurs dit à l'époque qu'il faisait une belle bêtise. Avec le recul et l'entrée en Bourse, elle est devenue une grande fan de Criteo.

Journée pyjama à l'école, l'Éducation nationale à la sauce américaine

Même si nous avons peiné et douté, je garde un souvenir ému de cette période héroïque de conquête de l'Amérique. Ma famille aussi. Pourtant, l'acclimatation fut un peu rude. Mes filles avaient cinq et sept ans, elles ne parlaient pas un mot d'anglais, et nous les avons lâchées sans préparation dans le grand bain de l'école américaine. Les six premiers mois ont été une véritable épreuve. Un combat de tous les instants avec cette nouvelle langue étrangère qui refusait de se laisser dompter. Aujourd'hui, c'est moi qui dois me battre pour que mes filles me répondent en français.

C'était d'ailleurs une découverte tout à fait intéressante, l'école américaine. Elle repose sur des principes qui paraissent à première vue à l'opposé de notre sacro-sainte Éducation nationale. Même si on y travaille au moins autant qu'en France, les enfants qui viennent du système français ont parfois l'impression de se retrouver à Disneyland. Plutôt qu'inculquer un savoir académique, l'objectif de l'école semble avant tout de donner confiance aux élèves. Pour nous, parents, c'est parfois déroutant. Mais il faut reconnaître sur les enfants un effet galvanisant indéniable. Les instituteurs ont des tampons encreurs avec écrit « great » ou « awesome », dont ils bombardent les copies des élèves. Vu à travers le prisme du système français où il est souvent difficile de décrocher mieux qu'un « satisfaisant », cela paraît un peu surréaliste. Et je ne parle pas des rituels, comme les *pyjama days* où tout le monde, instituteurs et directrice de l'école inclus, vient toute la journée en pyjama. Autant dire que les enfants adorent.

Bien sûr, les Américains se posent autant de questions que nous sur les vertus de l'éducation. Comme dans tous les pays développés, c'est un sujet qui passionne les foules. On trouve bien sûr ceux qui préconisent une éducation plus musclée, et qui critiquent sévèrement ce système qui essaye de convaincre les enfants qu'ils sont tous des champions. La génération

Y serait trop choyée et donc peu préparée à l'avenir. Je regarde d'assez loin tout ce débat. En incurable optimiste, je me dis que le mélange culture française et positivisme à l'américaine est un cocktail stimulant pour mes filles. D'ailleurs, il est savoureux de constater que l'éducation à la française est devenue très à la mode outre-Atlantique. Dans les librairies de Palo Alto, on ne compte plus les ouvrages écrits par des expatriés anglo-saxons à Paris, qui s'émerveillent de la politesse des enfants français et des valeurs de tradition et de respect qu'on leur inculque. Comme quoi, l'herbe est toujours plus verte ailleurs.

Des iPhones dans les bonbons d'Halloween

Mes filles, en tout cas, ont fini par adopter la Californie. Ne serait-ce que pour le fameux Halloween, qui n'a jamais vraiment percé en France. À Palo Alto, le 31 octobre, c'est un peu la folie. Jusqu'à la disparition de Steve Jobs, le grand rituel était d'aller faire le *trick or treat* devant sa maison. Sa femme était connue pour décorer de façon incroyable son jardin de squelettes fluorescents et autres zombies gores en tout genre. La légende disait que, parmi les sacs de confiseries qu'elle distribuait aux enfants, s'en trouvait un avec un iPhone. Du coup, tous les ans le soir d'Halloween, on voyait devant leur maison une joyeuse cohue de sorcières bigarrées, de petits vampires et autres lutins, tout excités à l'idée d'être l'heureux élu. Steve Jobs, dans la Valley, c'était Dieu. Quand il est mort, la vie locale s'est figée pendant quelques jours. Silencieux et tristes, les gens déposaient des pommes et des témoignages devant sa maison, les Apple Stores étaient en berne avec de grandes photos de lui. Il y avait quelque chose de quasi religieux dans ces manifestations. La Silicon Valley est vraiment un monde à part. Dont le Dieu est le progrès et le culte, la technologie. Pour le monde extérieur, les geeks californiens peuvent donner l'image de doux illuminés. Leur foi est telle qu'ils sont persuadés qu'ils pourront « évangéliser » – un mot très courant dans notre milieu et assez révélateur – le monde par la technologie. Quand on voit à quel point le numérique a envahi nos vies, il semble y avoir une part de vrai dans tout ça.

6

Did you say entrepreneur ?

Le french bashing fait toujours vendre

Depuis mon expérience aux États-Unis, j'ai un peu plus de recul sur mon pays. Je ne dirais pas de la distance, car je continue à passer beaucoup de mon temps en France pour piloter Criteo. Mais, en parcourant le monde entre New York, la Silicon Valley ou Tokyo, je retrouve toujours une constante : le french bashing. Cette tendance au dénigrement de la France est particulièrement bien représentée du côté des médias anglo-saxons pour qui, il faut l'avouer, il fait partie d'une vieille tradition. Faites du french bashing et vous êtes sûrs de faire le buzz, de créer des mini-polémiques qui vont augmenter le nombre de lecteurs. Je n'aurais pas assez de ces pages pour égrener le nombre d'articles étrillant la France dans une certaine presse internationale.

Il est vrai que le penchant mignon de nos élites à se draper dans des principes que nous n'appliquons qu'aux autres et à prêcher l'universalisme d'un modèle, qui par beaucoup d'aspects a pourtant bien vieilli, a de quoi faire sourire, voire agacer un peu. Mais quand même. Il ne faut pas grand-chose pour que la clique des anti-France monte au créneau. C'est ainsi. On nous dépeint régulièrement comme la contrée malade de l'Europe, victime en particulier d'un étatisme étouffant. Comme dit la boutade, la France, c'est le pays où le communisme a réussi.

Je ne suis pas chauvin, pas du genre à me dresser, main sur la poitrine, prêt à entonner la *Marseillaise*. Néanmoins, le french bashing me fatigue. Quand *Newsweek* explique sans rire que, en français, il n'y a aucun mot pour le terme entrepreneur, il y a de quoi pousser un gros soupir. Ces clichés sont certes risibles mais, qu'on le veuille ou non, ils sapent notre image, qui n'a pas besoin de cela.

Il est loin le temps où les multinationales américaines installaient leur siège européen à Paris, centre géographique de l'Europe occidentale. Maintenant, il faut les convaincre que la France n'est pas que le pays de la tour Eiffel, des bateaux-mouches et des châteaux de la Loire. Avec l'expérience de Criteo, j'ai vu à quel point il est compliqué d'inciter des Américains à venir en France. Comment leur expliquer qu'il est possible d'y faire carrière, pas seulement dans l'agroalimentaire ou l'industrie du luxe, mais aussi – incroyable – dans la technologie ? Quand il s'agit de l'Internet, il faut avouer que Paris est moins cosmopolite que Londres. Parfois, j'ai dû me résigner à offrir un compromis à ces Américains inquiets, en leur proposant justement de venir rejoindre notre bureau anglais.

Il est aussi assez compliqué de convaincre des financiers américains de venir investir chez nous dans la technologie. J'ai parfois la pénible impression que, pour beaucoup d'entre eux, la France n'est qu'une destination d'escapade romantique vaguement érotisante. Une espèce de monde délicieux, décadent, pittoresque et socialisant, avec des rêves d'une grandeur à jamais révolue. Pourtant, les investisseurs américains qui savent aller au-delà de leurs préjugés s'en réjouissent souvent. Chez Criteo, ils ont même touché le jackpot.

Cela dit, comment en vouloir aux Anglo-Saxons ? Le french bashing, ce sont les Français qui le pratiquent le mieux. Et dans la catégorie french bashers en chef, je citerai plus particulièrement les patrons. Qu'ils soient grands dirigeants d'une entreprise cotée au CAC 40 ou à la tête d'une PME, sur ce sujet, ils communient le plus souvent à l'unisson dans une symphonie de jérémiades en *ut* majeur.

« Le code du travail nous pousse à la faillite ! »

« L'impôt nous assassine ! »

« Un pays de fonctionnaires, toujours en congés ! »

J'ai tellement entendu ces rengaines. Alors à force, c'est presque devenu un axiome, une évidence que personne ne prend même plus la peine de démontrer. Je l'avoue, j'ai du mal à m'identifier à ce discours systématiquement négatif.

Qui ne dit mot consent ? J'imagine qu'on doit croire que je partage ce point de vue, si communément admis. Avec une société cotée au Nasdaq, ma famille installée aux États-Unis, même si je me partage entre ces deux côtés de l'Atlantique et que le siège de ma société reste à Paris, je dois avoir, pour l'observateur extérieur, le profil type de l'entrepreneur-qui-a-fui-la-France-ce-pays-socialiste-aux-impôts-hallucinants. Pourtant, je suis tout sauf un exilé fiscal. Si ma famille vit aux États-Unis, ce n'est pas pour fuir l'impôt français. Malgré une forte présence outre-Atlantique, Criteo reste une société française, et je touche la moitié de mon salaire en France, pour lequel je continue à payer des impôts au fisc français, tandis que le reste est imposé aux États-Unis.

Mais il y a mieux. Voici un scoop pour le lecteur français (mais aussi américain, qui ne se doute pas qu'il peut être plus taxé qu'au pays des 75 %). Le fait pour moi d'être devenu résident américain a considérablement alourdi ma facture fiscale. À la fois pour les impôts sur le revenu, dont le taux marginal sous le soleil californien dépasse les 50 %, mais surtout pour les gains en capitaux, c'est-à-dire les plus-values sur les ventes d'actions, qui représentent la plus grande partie de mes revenus. Dans ce domaine, la situation est en faveur très nette de la France. Sous les mandats Obama, l'impôt sur les plus-values est en effet passé à 37 % une fois qu'on cumule la part fédérale et ce qu'il faut verser en plus à l'État de Californie. En France, dans mon cas de société de croissance, il n'était que de 25 %. Sur des gros montants de plus-value, la différence devient vite très importante.

Pour les stock-options, la différence de traitement est encore plus frappante. En Californie, les stock-options sont considérées comme du salaire, et taxées très logiquement au même taux marginal de 50 %. On est très loin du sympathique taux de 33 % dont bénéficient, à l'heure où j'écris ces lignes, les bons de souscription (BSPCE), qui sont l'équivalent très attractif des stock-options à la française. Au final, il est assez savoureux de constater que ce qui a été décrié comme une absurdité économique en France (à savoir taxer les gains en capitaux comme du salaire) est un standard bien accepté en Californie, l'archétype du capitalisme technologique.

Enfin, dans les milieux privilégiés en France, il est bien sûr de bon ton de se lamenter sans fin sur le terrible impôt sur la fortune (ISF), en oubliant de préciser qu'il est indexé sur les revenus, ce qui permet à beaucoup de riches rentiers d'y échapper presque complètement. D'ailleurs, ce que les pourfendeurs de l'ISF ne disent pas, ou ne savent pas, c'est que la Californie impose chaque année tous les biens immobiliers à plus de 1 % de leur valeur. Une pareille ponction fiscale en France, où la résidence principale constitue le principal patrimoine d'une très large majorité de contribuables, déclencherait une véritable révolution.

Il y a vingt ans, on se plaignait du fait que les Français étaient trop frileux et n'osaient pas s'expatrier. À l'époque, les éditorialistes nous expliquaient que cette mentalité casanière était ce qui nous avait distancés des Allemands, les rois de l'export. Aujourd'hui, nous sommes tombés dans l'hystérie inverse. Tout Français – a fortiori entrepreneur – qui part à l'étranger est immédiatement vu comme un exilé fiscal.

La France matraquerait les entrepreneurs ? La réalité n'est pas aussi simple. Notre fiscalité est un gruyère composé d'une multitude de dispositifs qui allègent de façon considérable l'imposition totale. Pour les entreprises de technologie en particulier, il y a le fameux crédit impôt recherche, qui n'a pas d'équivalent aux États-Unis. Je pourrais bien sûr aussi parler des dispositifs liés au régime des « jeunes entreprises innovantes » et des réductions d'impôt sur les activités de recherche qui génèrent des redevances technologiques avec imposition réduite. Dans des secteurs comme les nôtres, cela fait vite plusieurs points de marge supplémentaires.

La France a-t-elle le monopole de la complexité administrative ?

Autre plainte que j'entends souvent, l'administration française, c'est Kafka. Oui, c'est vrai, je n'ai jamais apprécié remplir les formulaires de l'Urssaf et autres friandises obligatoires que chaque entreprise doit supporter. Mais, avec un bon cabinet comptable, ce problème disparaît assez vite. Certes, si vous voulez obtenir une carte de séjour pour un salarié étranger, même américain, c'est une autre paire de manches. Nous nous en sommes rendu compte chez Criteo quand nous avons voulu faire venir en France une star californienne recrutée chez Google. Nous avions réussi le tour de force de convaincre cet expert de la publicité sur mobile de quitter sa chère Silicon Valley pour rejoindre la French Tech. Dans notre candeur, nous espérions que pareil exploit serait salué par l'administration française qui déroulerait le tapis rouge. En fait de tapis rouge, ce fut un long périple un peu surréaliste, émaillé de multiples tampons et parfois de menaces d'interdiction d'entrée sur le territoire, pour qu'il se voie enfin attribuer la fameuse carte de séjour. Mieux vaut en rire qu'en pleurer.

Est-ce tellement mieux ailleurs ? Les Européens qui tentent d'obtenir un visa de travail aux États-Unis savent que c'est tout sauf simple. Si vous n'employez pas un cabinet spécialisé – ce qui est cher et n'est donc accessible qu'à une minorité de privilégiés – il est compliqué de s'en sortir. Chez Criteo, nous avons dû remplir des milliers de pages de formulaires et de certificats. Pour mon cas personnel, je pensais naïvement que ce serait plus facile. Après tout, je venais ici pour investir et créer des emplois, le cas idéal pour ma terre d'accueil. J'ai vite pris conscience de la complexité du système. L'administration américaine m'a demandé un business plan complet de mon entreprise et est allée jusqu'à exiger une copie de mes diplômes et de mes carnets de notes en école d'ingénieur. Imaginez le casse-tête pour retrouver ces bouts de papier qui avaient plus de vingt ans. Et aujourd'hui, même avec une entreprise cotée au Nasdaq, des centaines d'emplois créés aux États-Unis et des millions de dollars payés chaque année à l'administration fiscale, obtenir la fameuse carte verte reste un parcours du combattant.

Est-ce le vieux principe de réciprocité entre États qui nous pousse à rendre les choses aussi difficiles pour les Américains qui veulent venir en France ? Ce n'est pas très malin, car il faut reconnaître que, malheureusement, nous ne jouons pas à armes égales. Tous les cerveaux du monde veulent aller aux États-Unis, en particulier dans la Silicon Valley. Cela donne le luxe à l'administration américaine d'être bureaucratique, sans pour autant décourager les vocations. La France n'est pas perçue a priori comme une destination phare pour ceux qui veulent faire carrière dans le secteur de la technologie.

Il serait donc temps d'oublier un peu notre ego diplomatique, et de tout faire pour faciliter l'arrivée de talents qui veulent s'installer chez nous. Notre jeune et encore fragile écosystème numérique en a grand besoin. Il gagnerait aussi à être préservé de considérations politiciennes. Je pense notamment à cette circulaire Guéant sous le mandat de Nicolas Sarkozy. Sans doute pour donner des gages à la partie la plus craintive de son électorat, le ministère en était arrivé à interdire aux étudiants étrangers de se faire embaucher sur le territoire national à la fin de leurs études en France. Une mesure absurde d'un point de vue économique. Je me rappelle très bien cette jeune Marocaine brillante, nouvelle diplômée d'une école d'ingénieur de premier plan à Paris, que nous voulions recruter. Pas question pour nous de perdre un profil comme elle. Pour contourner le blocage, nous avons vu le moment où nous allions devoir l'engager dans notre bureau de Londres. Devant la levée de boucliers qu'elle a suscitée, la circulaire Guéant a depuis été abrogée. Mais cette embardée, qu'il vaut mieux vite oublier, n'a pas contribué à la grandeur de notre pays.

Si tout n'est pas rose, j'ai quand même l'impression que, globalement, nous allons dans le bon sens. Je ne sais pas trop ce que veut dire le « choc de simplification » et autres formules que les gouvernements successifs brandissent. Sous l'effet de la numérisation, beaucoup de démarches se sont bien simplifiées, avec des guichets uniques et autres déclarations en ligne. Bien sûr, il reste encore beaucoup à faire pour faciliter la vie des fondateurs. Mais ce n'est pas à cause de ces tracas administratifs que nos start-up tricolores ont du mal à grandir. D'autant que l'environnement réglementaire n'est pas plus simple aux États-Unis. Là-bas, pas besoin d'être une entreprise pour faire appel à un expert. Il est si complexe de déclarer ses impôts que beaucoup de particuliers font appel à des comptables privés pour s'en charger. Il est fréquent d'entendre un Américain dire – sans pour autant qu'on ait affaire à un millionnaire – qu'il a rendez-vous avec son comptable, comme on dirait j'ai rendez-vous chez le dentiste.

Ce code du travail tant honni

Passons à notre fameux code du travail. Que n'entend-on pas dessus. Est-il réellement la cause de tous nos maux ? Il est vrai qu'en France les licenciements nécessitent une procédure formelle pas toujours adaptée au contexte social des start-up. Et souvent ils coûtent nettement plus cher qu'aux États-Unis. Les charges sociales sont aussi sensiblement plus importantes. Mais, d'une certaine manière, ces éléments sont intégrés par le marché. Au final, dans la technologie, pour des niveaux de compétence équivalents, les coûts salariaux sont sensiblement moins importants à Paris que dans la Silicon Valley ou à New York. Nous avons dans l'Hexagone un vivier d'excellents ingénieurs qui sont très compétitifs par rapport à leurs alter ego américains. Criteo en est une belle illustration. Lorsque notre croissance outre-Atlantique s'est accélérée, on m'a souvent demandé pourquoi nous n'avions pas relocalisé aux États-Unis notre siège, et en particulier les secteurs recherche et développement. La réponse est simple. Si nous avons choisi de rester en France, c'est avant tout par pragmatisme économique. Autrement dit, cela nous coûte moins cher, et nous permet d'être beaucoup plus compétitifs que nos concurrents qui doivent payer au prix fort les salaires parfois exorbitants des informaticiens de la Silicon Valley. Comme quoi la vieille Europe n'est pas condamnée à perdre des emplois de manière systématique. La mondialisation est aussi une opportunité pour la France de faire jouer ses avantages comparatifs. Les pays qui privilégient la formation scientifique ont une belle carte à jouer. De quoi célébrer la tradition mathématique française.

Où est la paresse française ?

Dernière critique, la plus drôle : les Français seraient d'affreux paresseux. Les 35 heures, le pays qui marche en pointillé en mai et s'arrête complètement au mois d'août, etc. Je crois juste me souvenir que, en termes de productivité horaire, les salariés français se situent plutôt bien dans les comparaisons internationales. Surtout, il existe en France une étonnante fierté statutaire qui est très différente de l'approche anglo-saxonne, où les relations professionnelles sont avant tout pragmatiques et contractuelles. Bien sûr, si le climat social est pesant, cela peut conduire les Français à s'arc-bouter sur certains statu quo intenables. Mais, quand la dynamique est bonne, cet état d'esprit suscite une conscience professionnelle très forte, qui parfois frise le jusqu'au-boutisme. Même fiévreux ou toussotant, le salarié français met en général un point d'honneur à venir travailler (quitte à contaminer son entourage !). Pas question pour lui non plus d'utiliser son temps de travail pour un rendez-vous médical. Et quand viennent les grèves des transports, certains n'hésitent pas à marcher des heures pour rejoindre leur bureau.

Aux États-Unis, il n'y a certes que deux ou le plus souvent trois semaines de congés par an. Mais j'ai découvert une pratique nettement plus souple des *days off*. Check-up médical, problème de voiture, rendez-vous avec le plombier, intempéries et autres petits aléas du quotidien… J'ai été frappé à mes débuts par cet absentéisme relax qui n'avait pas vraiment d'équivalent dans la culture hexagonale. De fait, ces éléments culturels tendent à faire converger les rythmes des deux côtés de l'Atlantique. Au final, la productivité en France d'un salarié motivé est tout à fait comparable à celle des autres nations développées, États-Unis en tête. Et entre nous, quel que soit le pays, si vous faites face à un salarié démotivé, il est difficile d'en tirer quoi que ce soit.

En 2009, mon investisseur Dom Vidal m'a présenté Jonathan Wolf, un brillant manager anglais qui avait fait ses classes lui aussi chez Yahoo!. Jonathan a eu l'audace et la prescience de nous rejoindre à une époque où Criteo n'était composé que de Franco-Français. Avec son arrivée, il nous a obligés très vite à faire de l'anglais la langue officielle de la société. Ce basculement linguistique a été par la suite un élément important dans l'internationalisation rapide de Criteo. Conscient de tous les clichés sur les Français véhiculés par ses concitoyens, Jonathan a écrit l'an dernier un savoureux blog sur le site professionnel LinkedIn intitulé *Les raisons pour lesquelles il faut embaucher des Français*. Il commence ainsi : « Oui, vous avez bien lu. Et oui, je suis anglais. Vous vous demandez certainement comment je peux dire quelque chose d'aussi fou, non ? » Et Jonathan de vanter nos qualités analytiques, dues à une éducation scientifique plus poussée (les élites dans les pays anglo-saxons sont souvent diplômées en droit ou lettres, alors que les mathématiques restent encore la voie royale en France). Jonathan insiste aussi sur la créativité des salariés français, qu'il juge paradoxalement liée à notre culture du scepticisme. C'est bien vu. J'ai souvent constaté que les Français au travail maniaient un subtil équilibre, en étant d'un côté souvent râleurs et enclins à la critique, et de l'autre très investis dans leurs projets et plus généralement leur entreprise. Bien canalisée, la critique peut être tout à fait constructive et amener à une remise en question permanente. Touchant une corde sensible, le billet de Jonathan a été très lu et partagé sur les réseaux sociaux. Le plus amusant est de regarder les commentaires. Ceux qui sont le plus en désaccord avec l'analyse de Jonathan sont les Français, justement ! Comme quoi, on ne se refait pas.

Comment briser le plafond de verre ?

Bref, ne nous laissons pas distraire par les jérémiades sur cette France allergique à la création d'entreprise. N'en déplaise à *Newsweek*, entrepreneur est un mot d'origine française et qui se décline très bien chez nous. Il n'y a qu'à voir les centaines de milliers de PME qui se créent chaque année.

Malheureusement, ce joli chiffre brut ne suffit pas à booster la croissance. Pourquoi ?

Est-ce dû au taux de mortalité des entreprises nouvelles ? C'est vrai que la moitié de ces tentatives ne passent pas le cap des cinq ans. Nous pourrions chercher à diminuer ces échecs, mais est-ce vraiment la bonne approche ? L'échec est inhérent à la création. Et après tout, si la moitié des entreprises créées deviennent prospères, c'est déjà très bien. Dans le monde des start-up, univers darwinien s'il en est, le taux de survie y est encore beaucoup plus faible et cela ne choque personne.

Le vrai problème est ailleurs. En fait, parmi les nouvelles entreprises qui passent l'épreuve de la mortalité infantile, il en existe très peu qui passent le cap des dix, voire des cinquante salariés. Et ça, c'est beaucoup plus ennuyeux. Les nouvelles ETI (entreprise de taille intermédiaire de plus de cinq cents salariés) sont vraiment rares, d'où d'ailleurs l'attention médiatique exceptionnelle reçue par une société comme Criteo. Quant à créer une nouvelle entreprise du calibre CAC 40, je n'en parle même pas, c'est un serpent de mer.

Bref, le vrai problème est que nos PME n'arrivent pas à grandir. Quand elles survivent, la plupart vivotent et restent indéfiniment de toutes petites entreprises. Condamnées à se cogner la tête sur une sorte de plafond de verre qui les empêche de prendre de la hauteur.

Aux États Unis, il y a aussi énormément de PME et de faillites. Beaucoup d'échecs. Mais de cette cohue s'extirpent continuellement de nouvelles stars montantes, dont certaines parviennent à maturité et deviennent des très grandes entreprises. Pas chez nous. La France ne crée pas de Microsoft, Apple ou Google.

À ce propos, il est intéressant de noter que le mot « start-up » n'a pas d'équivalent en français.

Après tout, pourquoi employer un nouveau mot ? Distinguer PME et start-up, n'est-ce pas un simple effet de style, un anglicisme pour faire branché ?

Explication. En général, on traduit start-up par jeune entreprise de croissance. Autrement dit, ce qui distingue une start-up d'une PME traditionnelle, c'est avant tout la jeunesse (c'est bien connu, les vieux, ça ne grandit plus) et le taux de croissance. La conséquence, c'est qu'au-delà d'une certaine taille vous n'êtes plus considéré comme une start-up. C'est un constat (presque en forme de reproche) que j'entends de plus en plus souvent pour Criteo : « Maintenant vous êtes trop gros, vous n'êtes plus une start-up, n'est-ce pas ? »

J'ai donc envie d'apporter ma définition des choses. Une start-up n'est pas une entreprise *de* croissance. Certaines start-up ne décollent jamais, la majorité en fait. Une start-up, c'est une entreprise bâtie *pour* la croissance. La différence peut paraître fine mais elle a des conséquences profondes sur la manière de structurer à peu près tout ce qui est important dans le projet d'entreprise.

Alors pourquoi en France tant de PME et si peu de start-up (là j'emploie ma définition) ? Sur le papier, nous avons pourtant tous les ingrédients du succès : de grandes écoles et d'excellentes universités, des infrastructures à la pointe, un tissu industriel dense, des capitaux à profusion. Alors, pourquoi ce plafond de verre si difficile à franchir ? Pourquoi ne parvenons-nous pas à créer de Microsoft ni de Google ? Ceux qui incriminent le système fiscal, la complexité administrative, le code du travail, voire la paresse supposée de nos compatriotes se trompent de guerre (quelque chose dont nous sommes coutumiers en France). Ce qui manque, c'est ce petit quelque chose, indéfinissable. « It's the economy, stupid », dit l'adage bien connu de Bill Clinton. Moi, j'aurais envie de dire : *It's the culture, stupid.*

7

Quand les entreprises feront leur révolution

Où l'on découvre que parfois les entreprises sont en retard sur l'histoire

« Elle emportait, cette nuit, l'immense et pénible songe des mille ans de Moyen Âge. L'aube, qui commença bientôt, était celle de la liberté. Depuis cette merveilleuse nuit, plus de classes, des Français ; plus de provinces, une France ! »

Lorsque j'étais enfant, je passais mes fins d'été chez mon grand-père dans sa maison de campagne du Poitou. C'était bien avant l'époque des iPad. Il n'y avait pas grand-chose à faire et je passais une bonne partie de mes journées à chiner dans la vieille bibliothèque familiale. Encouragé bien sûr par ma mère, j'ai toujours eu le goût des livres, notamment d'histoire (j'essaye tant bien que mal d'inculquer un peu de cette vieille culture historique à mes filles, avec un succès mitigé, je dois bien avouer). C'est ainsi que j'ai découvert dans les rayonnages de mon grand-père la collection poussiéreuse des œuvres de Jules Michelet, un historien à l'ancienne, dont le style ampoulé et les jolies formules primaient sur l'exactitude historique.

Cette envolée lyrique de Michelet évoque la fameuse nuit du 4 août 1789, cette nuit célèbre à l'Assemblée nationale, où en quelques heures fut votée l'abolition des privilèges et des droits féodaux. Tout comme les Américains sont imprégnés de la saga des pères fondateurs, la France est marquée par les valeurs de la Révolution. Abolition des privilèges, liberté, égalité, tous ces principes sublimes ont fait le tour du monde. En relisant cette formule à tête reposée, on se rend pourtant vite compte à quel point elle relève de l'incantation plus que de la réalité. Même si la nuit du 4 août reste un événement fondateur de la mythologie nationale, il subsiste de nos jours un décalage énorme entre les principes énoncés et la réalité telle qu'elle est vécue par tout un chacun. De ce grand écart entre le verbe et l'action découle une tension qui fait de la France une société dont la culture repose encore trop sur le conflit. Alors que nos amis anglo-saxons, plus pragmatiques, savent bien mieux manier l'art du compromis.

Bon an mal an, les institutions ont évolué, en France comme dans tous les pays développés, vers un système, certes encore imparfait, mais néanmoins beaucoup plus inclusif, ou pour employer un mot à la mode, plus *participatif*. Pour beaucoup d'auteurs, le fait est établi, des institutions participatives sont à la base de la prospérité économique à long terme d'un pays.

Pourtant il y a un hic. Comment se fait-il que le monde des affaires – toujours prompt à critiquer le monde politique – ne soit pas aussi avancé dans ce mouvement que les démocraties qui l'abritent ?

L'entreprise traditionnelle, un modèle féodal

Si on y regarde de plus près, les PME traditionnelles ressemblent fort à ces monarchies féodales d'antan. Le patron ? Il est seul maître à bord, avec un pouvoir de quasi-droit divin. Il fonde même parfois des dynasties, léguant son empire à son fils, à sa fille. Le roi est mort, vive le roi ! Bien sûr, dans le genre, vous aurez toute la palette des monarques. Du patron paternaliste au despote éclairé, genre Frédéric II, en passant par Louis XIV l'autocrate absolu. Dans la grande entreprise, c'est un peu plus subtil. Il existe un certain équilibre des pouvoirs entre les dirigeants, les employés et les actionnaires, avec un système de gouvernance plus ou moins bien huilé pour réguler les choses.

Il faut reconnaître que le vieux modèle autocratique – perçu comme l'alpha et l'oméga par une grande partie des patrons – peut bien fonctionner pour les entreprises qui évoluent dans des secteurs où la constance prime. Vous avez un chef qui définit les règles de fonctionnement, et tout le reste suit selon un mécanisme d'horlogerie bien huilé. Chaque employé a un rôle précis dont il n'est pas censé sortir. Mais quand, au lieu de reproduire indéfiniment les mêmes choses, il faut de la créativité, de l'inventivité, de l'innovation, les ennuis commencent.

La technologie est le domaine de l'innovation par excellence. Le numérique en particulier possède une vitesse de progression, de diffusion, de mutation et de créativité qui n'a pas d'équivalent dans les révolutions technologiques précédentes. Je ne parle pas d'innovation incrémentale (qui consiste à faire un peu mieux ce qu'on fait déjà), mais d'innovation de *rupture* (qui consiste à tuer ce qu'on fait et à repartir pratiquement de zéro). C'est la raison d'être des start-up qui, toutes à leur manière, cherchent le nouveau concept qui va révolutionner l'ordre établi.

Pour revenir à la série télévisée *Silicon Valley*, elle décrit ce phénomène avec un humour potache. Dans un épisode, on voit des start-up défiler sur une estrade pour présenter leur nouveau concept devant un jury d'experts. Elles concluent toutes leur exposé par un grandiloquent : « Nous voulons *changer le monde*. » À ce moment-là, vous vous dites : un peu mégalo quand même, ces geeks. Et vous riez. Mais en fait, le plus drôle, c'est que c'est la réalité. Toutes les start-up veulent vraiment changer le monde. Sinon, elles n'ont pas le bon code génétique pour réussir.

Hélas, la créativité ne se décrète pas. Réussir à inventer une technologie qui marche, c'est difficile. Transformer une technologie en un leader mondial, c'est un tout autre défi. Dans le secteur du numérique, le modèle type plan quinquennal ne fonctionne pas. Ce n'est pas un hasard si en France nous sommes les champions de technologies tout à fait remarquables, mais qui ne percent jamais (plan calcul, micro-ordinateur), qui ne s'exportent pas (Minitel, Concorde) ou de manière très laborieuse (TGV, carte à puce). Pour imposer sa vision au reste du monde, il convient d'adopter une approche en complète rupture avec le modèle traditionnel.

La Silicon Valley, laboratoire de l'entreprise participative

HP, Oracle, et plus récemment Uber, Airbnb... La Silicon Valley, ce *hub* du monde numérique, possède quelque chose d'unique. Je n'évoquerai pas ses universités technologiques, qu'on retrouve ailleurs, ni la proximité des capitaux financiers, qui sont abondants dans toutes les grandes capitales, ni son climat si agréable (bien que cela soit quand même un grand plus !). Non, la vraie force de cet endroit est ailleurs. La Valley possède une culture participative unique au monde. Aux antipodes de la culture autocratique qui domine l'univers des PME. Et c'est cette culture participative qui a donné naissance aux start-up dans leur forme actuelle.

Certains font remonter cela à la conquête de l'Ouest. À l'époque, traverser les États-Unis était un voyage long et dangereux. Les pionniers devaient faire face à moult situations imprévues et s'adapter tant bien que mal. Ceux qui réussissaient la traversée jusqu'au Pacifique avaient su faire preuve d'une adaptabilité remarquable. Une des clés de la survie était de s'allier avec d'autres pionniers pour former des convois qui suivaient ensemble la même route. S'allier avec de parfaits inconnus ? Il n'y a rien de plus contraire au bon sens. Pourquoi faire confiance à des étrangers qui pourraient vous couper la gorge à la première occasion ? Et pourtant, cette confiance a priori, cette reconnaissance du fait que nous sommes plus forts ensemble que séparément, cette mise en commun de compétences pour partir à la poursuite d'un objectif ambitieux, c'est exactement l'esprit start-up. Le monde du numérique a permis à cette culture participative et collaborative de se développer à grande échelle. Ce qui la rend si extraordinaire ? Elle est en rupture complète avec l'écrasante majorité des cultures humaines que le monde a connues depuis les temps les plus reculés.

8

La culture du Co

Coworking, *colocation, covoiturage, le Co est partout*

L'air du temps est sous le signe du Co. Très à la mode et très efficaces sont les espaces de *coworking* (que dans le monde des start-up, on appelle incubateurs), ces bureaux partagés où se côtoient de multiples entrepreneurs et projets. Chaque équipe travaille de manière indépendante, mais ce brassage crée une émulation communicative qui bénéficie à tous (et parfois change des destins, comme quand j'ai rencontré Franck et Romain). Le prix des logements flambe ? La colocation et l'hébergement d'appoint sont en pleine expansion. De quoi donner des sueurs froides à l'industrie hôtelière traditionnelle. Sans parler du covoiturage qui a vu l'émergence de Blablacar, en passe de devenir un joli champion français à l'ambition mondiale. Pour descendre à Lyon sans que cela vous coûte trop cher, vous partageriez bien l'essence et les péages avec quelques amis. Manque de chance, aucun proche n'a envie de faire le voyage en même temps que vous. La solution ? Inviter des inconnus dans votre voiture.

Le Co, c'est la redécouverte d'un principe puissant. À un moment ou un autre de sa vie, nous faisons face à des contraintes (souvent économiques), pour lesquelles l'entourage immédiat ne peut pas aider. Il faut alors se tourner vers des inconnus et leur faire confiance. A priori. Avec l'idée que leurs intérêts étant alignés (au moins temporairement) avec le vôtre, il y a toutes les chances que ces inconnus se comportent de manière à ce que cela se passe bien.

L'Internet et les réseaux ont permis de faire grandir cette culture du Co à une tout autre échelle que dans l'économie traditionnelle. Il n'y a qu'à se rappeler le bon vieil auto-stop qui se pratiquait de manière sporadique (avec un succès très limité, j'en sais quelque chose). L'Internet a permis de faire du covoiturage une véritable industrie, qui vient concurrencer sérieusement le train. Dans la même lignée, le Co est aussi très présent dans la manière dont se construit le numérique lui-même. Il y a un mouvement fascinant autour de l'*open source*, ces logiciels libres qui sont créés par une communauté virtuelle travaillant sans échange monétaire. Criteo s'est d'ailleurs beaucoup appuyé dans son développement sur ces technologies ouvertes.

Quand, avec mon épouse, nous nous sommes lancés dans cette aventure de salades et soupes bios, nous avons découvert, un peu effarés, le monde du petit commerce traditionnel, qui est souvent bien loin de l'image idyllique qu'on peut s'en faire. Un univers imprégné de méfiance, de jalousie, de chacun pour soi, où les voisins se regardent en chiens de faïence. Chaque commerçant a ses petits trucs qu'il a accumulés au cours du temps. Mais pas question de faire profiter les autres de son expérience. J'ai vu comment la recette d'une sauce balsamique citronnée pouvait devenir un secret plus farouchement gardé que le code de la bombe atomique. Impossible également d'arracher les coordonnées d'un fournisseur fiable en fruits et légumes. Chaque nouveau venu est prié de refaire toutes les erreurs de ses prédécesseurs, sous le regard satisfait des anciens qui sont passés par les mêmes galères. Il n'y a pas de raison que ce soit plus facile pour les petits jeunes que pour les anciens, non ?

Par comparaison, le milieu de l'Internet – que ce soit aux États-Unis ou en France – est à l'opposé. Certes il y règne une concurrence très rude. Il y a beaucoup d'appelés, et peu d'élus. Mais en même temps il y règne aussi un véritable esprit d'entraide. Dans le numérique, nous ne sommes pas dans un jeu à somme nulle où le succès des uns se fait au détriment des autres. Tout le monde a intérêt à ce que tout le monde réussisse. En créant une émulation et en formant un grand nombre de talents pour l'industrie, Criteo a par exemple joué un rôle de locomotive pour l'environnement numérique français. Chaque succès renforce l'écosystème dans son ensemble, ce qui bénéfice indirectement à tous. L'esprit Co en quelque sorte.

Démultiplier son réseau personnel

La première chose que je conseille à un jeune entrepreneur, c'est d'échanger avec ses pairs. Et dans l'Internet, c'est largement possible, quelles que soient vos origines, vos études, votre famille. Quelle bouffée d'air frais en comparaison des cercles de business traditionnels, où si vous n'êtes pas du sérail, si vous n'avez pas le bon diplôme, vous aurez beau taper à la porte, vous aurez beaucoup de difficultés à vous faire accepter. Dans l'Internet, des réseaux, il y en a. Plein même. Mais ils ne sont pas fermés. Vous n'avez pas besoin d'avoir fait l'X ou l'ENA pour entrer dans la danse. Les gens acceptent souvent de rencontrer le petit jeune qui vient de nulle part.

Car tous ont la conscience aiguë que le petit jeune en question est peut-être un Mark Zuckerberg – le patron juvénile de Facebook – qui va bouleverser le monde de demain. La technologie permet des ruptures radicales. Qui aurait imaginé il y a encore dix ans que Facebook, un site au départ conçu pour noter les étudiants, deviendrait le passeport social d'une grande partie de l'humanité ? Que Twitter et ses gazouillis seraient un des vecteurs des printemps arabes ? Les révolutions technologiques surviennent toujours de manière improbable. Mépriser les petits jeunes ne témoigne pas seulement de l'arrogance du parvenu. C'est une vraie faute stratégique pour qui veut comprendre l'avenir. La vraie terreur de Bill Gates, ce n'était pas la concurrence féroce que lui opposaient les autres grands acteurs technologiques, ces mastodontes ruisselant de cash. Non, lui, il cauchemardait sur cet inconnu dans son garage, en train d'inventer un produit inattendu, qui un jour arriverait sur le marché pour saper les fondations de son empire.

Lorsque je me suis installé dans la Silicon Valley, j'ai rendu de nombreuses visites à des gourous du Web. Le but n'était pas de trouver la solution à mon problème du moment. Parfois, c'était d'ailleurs sans grand intérêt. Mais parfois aussi, au détour d'une phrase d'apparence anodine, je voyais certains points obscurs se relier soudain dans ma tête, à la manière d'une intuition qui se cristallise. Par exemple, j'ai parlé à de nombreux anciens de Yahoo!, qui m'ont raconté comment cette vieille star du Net s'était fait dépasser par Google sur les moteurs de recherche. Ce qui revenait comme un leitmotiv, c'était le sous-investissement dans la technologie, notamment au moment où le portail était au sommet de sa gloire. Dans leurs témoignages, je sentais une vive frustration, celle d'être passés à côté d'une occasion unique. Fort de ces retours d'expérience, je suis devenu obsédé par l'idée de donner à Criteo une priorité absolue à la recherche et au développement. Avec le recul, c'est d'ailleurs ce qui nous a permis de ne pas nous faire rattraper quand, avec le succès, est apparue l'inévitable armée de clones tentant de copier notre concept.

Je ne suis pas devenu un gourou. Mais c'est vrai que maintenant, avec la visibilité de Criteo, je suis souvent sollicité. Je rencontre quand je le peux des jeunes fondateurs qui démarrent leur start-up. Toujours la même idée. On m'a donné, je rends. Pas à ceux qui m'ont donné, mais à d'autres, qui eux-mêmes donneront à d'autres.

La particularité de la Silicon Valley, c'est qu'elle parvient à intégrer sans cesse les petits nouveaux venus du monde entier. Le taux d'immigration y est d'ailleurs l'un des plus élevés au monde, et on ne compte plus les start-up locales dont les fondateurs sont nés en dehors des États-Unis. Il serait illusoire d'espérer attirer les cerveaux du monde entier en France à la manière de la Valley. Par contre, il existe un gisement énorme de talents français qui restent coincés dans les industries traditionnelles et les administrations publiques. Si nous réussissions à en attirer ne serait-ce qu'une fraction vers notre French Tech, cela serait un bon début.

La culture de la confiance

Pour Criteo, j'ai même senti le besoin d'exprimer cette idée sous forme d'un texte court qui a été diffusé en interne et sur notre site Internet :

« J'ai rejoint Criteo, une équipe internationale d'individus qui partagent cette croyance commune en l'innovation collaborative. J'ai envie d'apprendre des autres, et j'aiderai aussi les autres à apprendre. J'accepte de rendre d'une manière ou d'une autre tout ce que, moi, j'ai reçu des autres. Pour chaque heure d'aide qu'on m'aura fournie, je donnerai une heure de mon temps pour aider quelqu'un d'autre. Pour chaque risque que quelqu'un prendra pour moi, je prendrai un risque pour aider une autre personne. C'est tous ensemble que notre intelligence collective est la plus forte. »

Bon d'accord, j'avoue que cela sonne un peu grandiloquent. À l'époque lointaine où j'étais un fantassin perdu au fin fond d'une grande structure, c'est sans doute avec une pointe d'ironie bien française que j'aurais accueilli ce *manifesto*. Mais mon expérience américaine m'a fait un peu changer de perspective. Le fait de mener une entreprise globale aussi. Quand vous avez mille cinq cents salariés disséminés un peu partout dans le monde, il est important de réaffirmer des valeurs communes. J'entends souvent des gens se moquer de la devise « Do no evil » de Google. Mais je crois qu'elle représente un ciment plus fort qu'on ne l'imagine au sein de cette entreprise devenue gigantesque.

La culture Co suppose une chose importante : il faut se faire confiance a priori, et non a posteriori. Ce n'est pas intuitif. Tout le monde connaît l'histoire du renard dans *Le Petit Prince*, qui exige une infinité de temps et de patience pour se laisser apprivoiser. Voilà qui est beau et poétique. L'amitié n'est-elle pas un des sentiments humains les plus puissants qui existe ? Dans le monde des affaires, ce comportement farouche est un énorme frein. S'il vous faut dix ans avant de sortir de votre tour d'ivoire pour discuter avec un associé potentiel ou vous laisser approcher par un investisseur financier, vous n'arriverez jamais à construire grand-chose. Dans le numérique, tout va trop vite.

Contrairement au donnant-donnant habituel, il faut également accepter de donner sans forcément recevoir. C'est la même logique qu'un logiciel de partage en *peer-to-peer*. Certes vous n'êtes pas forcé de partager mais, si tout le monde décide de ne rien donner à la communauté, cela ne marche pas. Bien sûr, certaines personnes ne jouent pas le jeu. Il y a ceux qui ne renvoient pas l'ascenseur, qui prennent sans jamais donner. Dans la théorie des jeux, on appelle cela un *free rider*, le cavalier libre. Les réputations se font rapidement. En général, les *free riders* sont vite repérés, comme si l'écosystème générait ses anticorps pour protéger sa culture originale.

Dans un genre particulier de *free riders*, certains Français installés de longue date dans la Silicon Valley se sont spécialisés dans le douteux métier de connecteur professionnel. Il y a un tel flot de compatriotes qui débarquent régulièrement dans la Valley que c'est devenu un vrai business. À peine sorti de l'aéroport, vous les voyez arriver. Ils vous promettent monts et merveilles, qu'ils vous feront rencontrer toutes les personnes qui comptent, qu'ils vous introduiront dans les cénacles où il faut se montrer. Évidemment, pour le nouvel arrivant qui ne connaît personne, l'idée d'avoir quelqu'un qui va lui construire son réseau est assez séduisante. En échange de leurs super services de mise en relation, ces consultants en réseautage demandent des honoraires au prix fort. À fuir. La plupart du temps leur valeur ajoutée est squelettique. Mais, surtout, ils sont complètement à l'opposé de l'esprit Silicon Valley. Mettre en réseau les uns et les autres n'est pas monnayable. C'est quelque chose d'intrinsèque à la culture du Net.

9

Comment composer l'équipe fondatrice

Pourquoi l'entrepreneur solitaire court à l'échec

« Un verre, ça va ; trois verres, bonjour les dégâts. » Les trentenaires et plus ont tous en tête ce vieux slogan de la sécurité routière. Difficile à transposer dans le milieu du business. En fait, il faudrait au contraire dire : trois entrepreneurs pour fonder une entreprise, ça va ; un seul, bonjour les dégâts. Bien sûr, le lecteur va se dire : trois fondateurs, c'est le modèle Criteo. Est-il bien raisonnable de faire d'un exemple particulier une règle générale ? Après tout, pourquoi s'ennuyer à faire cette aventure avec quelqu'un d'autre ? Cela semble plus simple de s'imaginer seul en « moi, maître du monde ».

Et pourtant, les statistiques sont implacables. Créer une start-up tout seul, c'est le chemin le plus sûr vers l'échec. Les start-up montées par une seule personne mettent en moyenne soixante-douze mois pour devenir rentables. On tombe à trente-six mois dès qu'elles sont montées par au moins deux associés. Plus frappant encore, ces quinze dernières années, 80 % des start-up du numérique qui ont dépassé la valorisation très symbolique du milliard de dollars (les fameuses licornes) ont plusieurs fondateurs. C'est aussi le cas des *home run* (le jargon américain emprunté au base-ball pour qualifier un méga-succès) comme Google, Microsoft et Apple, et de presque toutes les icônes de l'Internet. Certes, le grand public connaît surtout le nom de Bill Gates pour Microsoft ou de Steve Jobs pour Apple. Et beaucoup moins ceux de leurs associés. Mais cela ne veut pas dire que, derrière la com, se déroule un one-man show. Bien au contraire. Dans les exemples cités, chaque co-fondateur a apporté quelque chose d'unique, qui a la plupart du temps été un élément clé dans le succès de l'aventure. Il existe certes des contre-exemples, comme Dell monté à la force du poignet par un seul visionnaire, Michael Dell. Mais créer une start-up seul reste incroyablement difficile. Pour le commun des mortels (dont j'ai une conscience aiguë de faire partie), maximiser ses chances de succès, cela veut dire faire cela à plusieurs.

Faire appel à la famille, des amis ou des inconnus ?

Bien que parfaitement ignorant des statistiques ci-dessus citées, j'avais toujours eu l'idée de monter une boîte à plusieurs. J'avais juste l'envie de partager cette expérience forte avec des proches. Mais, trouver des amis qui voulaient faire ça en même temps que moi, ce n'était pas facile. Ils n'étaient pas forcément tous obsédés comme moi par l'idée de monter leur start-up. Pourtant, au départ, je n'aurais jamais envisagé de me lancer avec de vrais inconnus, comme j'ai fini par le faire avec Franck et Romain après cette rencontre inattendue dans l'incubateur.

Comment choisir ses associés ? Pour le patron de PME, le premier réflexe est de se tourner vers sa famille. Quoi de plus naturel ? Le monde des affaires est réputé impitoyable. Dans cet univers hostile, il paraît raisonnable de s'associer avec des personnes en qui vous avez une confiance absolue. Le modèle familial convient d'ailleurs bien dans le cas d'une tradition ancestrale, qu'on se transmet de père en fils, comme le cirque avec la famille Romano.

Mais, dans le numérique, vous n'avez pas le temps de transmettre d'une génération à l'autre. Tout va trop vite. Le monde technologique est complexe, mouvant, imprévisible. Voyez encore Microsoft, Apple, Google, aucun de ces titans n'a été fondé par une fratrie, mais par des duos de compétences complémentaires. Il est rare d'avoir un frère, un fils, un cousin qui vous est exactement complémentaire. En faisant primer le lien personnel, le risque est de ne pas avoir toutes les compétences qu'il faut pour réussir le projet. Sans compter que le facteur affectif peut compliquer singulièrement la vie de tous les jours.

D'un pays à l'autre, on peut d'ailleurs voir le poids et l'impact de cette culture familiale. Il se dessine de manière assez nette, d'un côté, un modèle qu'on peut qualifier de latin et, de l'autre, un modèle nordique ou anglo-saxon. Côté latin, c'est sans doute l'Italie qui a poussé le plus loin la culture de la *famiglia*. Les PME familiales sont le fondement de l'écosystème transalpin, notamment dans le luxe et la confection. Mais ce modèle n'a pas pu être transposé à la technologie numérique. À ce jour, Yoox est probablement la seule start-up Internet italienne à avoir acquis un rayonnement mondial, et son mode d'organisation ressemble beaucoup plus à celui de ses consœurs de la Silicon Valley qu'à une petite entreprise italienne traditionnelle. Même carence en Espagne, où l'on peine à trouver un leader mondial dans le numérique. À l'inverse, la Suède aligne un nombre tout à fait extraordinaire de start-up de classe mondiale. Skype et Spotify sont sans doute les plus visibles, mais il y en a beaucoup d'autres. Ce n'est pas un hasard. Ce petit pays a déjà à la base une culture participative très vigoureuse. Il lui a ainsi été assez facile d'absorber les éléments propres à la Silicon Valley.

Et où se situe la France dans tout ça ? C'est un mélange des deux modèles. Pas totalement latin, pas vraiment nordique non plus. Encore trop souvent pétri de cette méfiance pour les gens qui ne sont pas du premier cercle.

Et les amis ? Nous avons tous été bercés par la mythologie de la bande-de-potes-qui-bricolent-un-truc-dans-leur-garage. Là encore, tout cela ne vaut que si les amis en question sont avant tout de vrais professionnels et non pas juste des copains de fêtes alcoolisées. Je me souviens encore de cette scène dans la série *Silicon Valley*. Le fondateur fait un bilan de compétence de l'équipe. Il se rend alors compte que son meilleur copain n'apporte pas grand-chose au projet et que sa présence au casting fait un peu tache. Après moult affres, il prend cette décision incroyablement difficile et pourtant nécessaire : le sortir du projet. Sous ses airs d'adolescent attardé, il fait preuve à cette occasion d'une lucidité et d'une maturité étonnantes.

Les limites du « friends and family »

Moi l'apprenti entrepreneur franchouillard, j'étais formaté par ma culture d'origine. Pour Kallback, ma toute première entreprise, j'ai composé mon capital avec les gens en qui j'avais le plus confiance, mon frère, mon père et quelques amis très proches. Ce fut, comme je l'ai dit, un fiasco total (pas de leur faute, de la mienne). Pour Kiwee, ma seconde société, je me suis contenté de donner un strapontin à mes amis. Cela m'a permis de garder une grande partie du capital pour recruter des cofondateurs qui se sont impliqués à fond dans le projet. Pour Criteo enfin, je suis allé encore plus loin dans cette logique. À tel point que mon père et mon frère, qui ont mis au pot dans mon premier fiasco, ont beaucoup plaisanté sur le fait de n'avoir été conviés que pour la faillite, et pas pour le jackpot. C'est un peu vrai.

Néanmoins, j'ai appris que faire un premier tour de financement dit « *friends and family* » (amis et famille) induit un mélange des genres pas simple à gérer. Sur Kallback ou Kiwee, j'aurais dû traiter mon père ou mes amis comme n'importe quel business angel. Mais ce n'était pas facile. De fait, je leur ai donné plus de capital que pour un investisseur extérieur. Je ne voyais pas trop le problème. Après tout, c'est plutôt sympathique de partager son aventure avec ses proches. Mais, quand il faut faire monter à bord d'autres talents ainsi que des financiers, cela complique les choses, car mécaniquement il y a d'autant moins de capital disponible pour les nouveaux entrants.

Dans le même ordre d'idée, il faut bien faire la distinction entre les vrais fondateurs d'une start-up, et ceux qui les accompagnent seulement. C'est comme la vieille blague sur la préparation des œufs au bacon. La poule est impliquée dans le projet, mais le cochon aussi, corps et âme. Pour les fondateurs, c'est pareil. Oui, peut-être avez-vous discuté du sujet avec votre ami X. Il a même phosphoré deux ou trois week-ends pour vous donner des idées neuves et rafraîchissantes. Qu'importe. Si votre ami X continue à travailler dans sa banque ou sa grande entreprise, alors que vous avez tout lâché pour la start-up, votre ami ne pourra prétendre être un fondateur. Il devra se contenter du titre de business angel, mentor ou conseiller. Ce qui en soi n'a rien de déshonorant. Il ne pourra pas non plus être traité de la même manière sur la répartition du capital. Et mieux vaut clarifier les choses tout de suite avec lui.

Il est bon de marteler cette évidence, car je rencontre sans cesse des start-up dans lesquelles le flou règne sur cette question-là. Il y a peu, j'ai ainsi été contacté par un entrepreneur qui voulait me présenter son projet, une nouvelle application mobile qui semblait prometteuse. Quand je lui ai demandé son rôle opérationnel dans l'équipe, il m'a dit qu'en fait il travaillait toujours dans son ancienne société et qu'il participait à ce projet en sous-marin, le soir et les week-ends. Renseignements pris, le capital de cette start-up était détenu à 75 % par trois pseudo-fondateurs qui ne collaboraient au projet que sur leurs RTT ou les dimanches. Les maigres 25 % restants avaient été laissés aux deux seuls associés qui étaient réellement à plein-temps. Autant dire que ce genre de montage bancal fait fuir à toutes jambes n'importe quel investisseur sérieux.

Avec le temps, j'ai compris un peu mieux la logique très particulière d'une start-up. Il m'a fallu vaincre mes propres barrières mentales. Le jour où, dans cet incubateur près de Bastille, j'ai décidé sur un coup de tête de lier mon sort à celui de Franck et Romain, tout a changé.

10

La magie des stock-options

Des stock-options sinon rien

Partager le capital n'est pas la première devise des patrons. Je me vois encore à ce dîner de dirigeants sous les lambris d'un salon feutré du centre de Paris. Entre la poire et le fromage, je lance le sujet à la cantonade :

– Qui parmi vous distribue des stock-options à ses employés ?

Je jette un regard circulaire avec une légère gourmandise, ayant bien conscience que le sujet est polémique. Après un moment d'hésitation, les réponses sont en majorité négatives : « Je préfère leur donner un bon bonus », « Nous n'avons pas prévu d'aller en Bourse, donc pour nous ce n'est pas pertinent », « Ce n'est pas quelque chose que mes salariés me réclament »...

J'ai néanmoins face à moi deux avant-gardistes, qui me disent :

– Moi j'en donne à mes managers directs.
– C'est un bel outil que je réserve pour le comité de direction et certains profils rares.

Seulement le haut de la pyramide ? *Quid* alors des autres employés ?

La réponse fuse :

– Pour les autres employés, ce serait donner de la confiture aux cochons. Enfin, je veux dire que ce serait du gâchis, car la plupart du temps ils ne comprennent pas à quoi cela sert.

De la confiture aux cochons. Tout est dit.

C'est vrai, pour la plupart des dirigeants, grands comme petits, l'idée d'une distribution générale paraît incongrue. Et bizarrement, personne ne semble vraiment y trouver à redire. Ce n'est même pas une revendication des salariés. Comme s'ils estimaient que la partie était perdue d'avance et que, si partage de la valeur il y a, cela ne peut se faire que via redistribution fiscale par l'intermédiaire de l'État. Je me souviens d'ailleurs d'employés français qui, lorsque je les ai embauchés, étaient plus intéressés par la valeur de nos tickets-restaurants que par l'existence éventuelle d'un plan de stock-options. Bien sûr, c'était avant que Criteo ne soit le succès qu'il est devenu.

Pourquoi ? Dans le monde économique actuel, il existe une cloison quasi étanche entre ceux qui travaillent et ceux qui possèdent. C'est l'éternelle division entre travail et capital. Si éternelle qu'elle semble immuable. La remettre en cause paraît inutile, provocant, voire dangereux.

Dans la Silicon Valley, les stock-options, c'est au contraire le mot magique, le fondement du contrat social. Sans stock-options, il n'y aurait pas eu de Google, de Facebook, de Microsoft, d'Apple. Pour une start-up, les stock-options ne sont pas une carotte financière, mais plutôt un billet d'entrée vers du rêve. Nous embarquons tous ensemble dans une aventure, et il y a peut-être, au bout du périple, le trésor de l'île des pirates.

Il faut dire que, dans le monde du numérique, les rapports de force entre salariés et patrons sont en partie inversés. C'est à nous, fondateurs et dirigeants, de faire la danse du ventre pour attirer les meilleurs. Dans cette économie de la rareté, les profils que l'on convoite se voient proposer jusqu'à une dizaine de postes. Vous devez les convaincre que, chez vous, l'herbe est plus verte. La règle de base, c'est stock-options pour tout le monde, quelle que soit la position dans l'entreprise. Vous êtes bien loin de la logique élitiste de la plupart des sociétés du CAC 40, qui ne réservent cet instrument qu'à une infime poignée de cadres dirigeants.

J'avoue que j'ai moi-même mis un peu de temps à m'y mettre. Un reliquat de ma culture française sans doute. D'ailleurs, je remarque qu'en France même les start-up Internet ne donnent pas toutes des stock-options, loin de là. En tant que fondateur, notre premier réflexe, là encore, est de préserver le capital et le distribuer au compte-gouttes à un minimum de personnes. Ouvrir son capital à des financiers, c'est déjà souvent une vraie bataille intérieure. Alors s'il faut en plus inclure tous les salariés dans le grand partage, là, c'est vite la panique.

Cela m'a fait beaucoup de bien de débarquer aux États-Unis. Il me fallait, moi fondateur d'une start-up française inconnue, convaincre des talents américains de rejoindre le bateau. D'autant que, à côté des impressionnants vaisseaux amiraux US, notre embarcation tenait plus du fragile radeau que du fier porte-avions.

Je me revois en train d'interviewer ma première *office manager*, celle qui allait s'occuper de la logistique du bureau local. C'était mon second recrutement américain, et j'étais encore un béotien de la Silicon Valley. L'entretien d'embauche se déroulait comme prévu et à la fin je lui ai posé la question habituelle :

– Y a-t-il des sujets que nous n'avons pas abordés que vous voudriez évoquer ?

– Oui. J'aimerais savoir ce que vous avez prévu comme stock-options pour ce poste.

Elle m'a demandé ça avec le plus grand naturel. J'ai réalisé d'un coup que, dans la Silicon Valley, il était inimaginable d'entrer dans une start-up sans se voir proposer des stock-options. Même pour un poste dont les qualifications étaient assez standards. Je lui ai répondu précipitamment :

– Euh, oui, bien sûr. Je n'ai pas le montant exact en tête, mais je reviens vers vous très vite là-dessus.

À ce moment-là, j'ai décidé de distribuer des stock-options à tout le monde et dans tous les pays. Quand je vois la cohésion et le dynamisme que cela a créés, je dois dire que je ne le regrette pas.

Les millionnaires de Criteo

Criteo a créé un nombre respectable de millionnaires. Une cinquantaine d'employés au moins au moment de l'introduction en Bourse, et ce chiffre continue de croître trimestre après trimestre. Parmi eux, des parcours exceptionnels, comme cet iconoclaste entré chez nous comme simple stagiaire à mi-temps juste parce qu'il parlait italien. Un sympathique guitariste qui ne connaissait rien à l'Internet et n'était pas du sérail, un profil somme toute complètement improbable. À force d'une pugnacité extraordinaire et d'une vivacité d'esprit hors du commun, il a grandi avec Criteo. Il dirige maintenant une équipe internationale d'une cinquantaine de personnes.

Je pense aussi à cette informaticienne aussi discrète qu'efficace. Elle m'a suivi depuis Kiwee, où elle n'avait pas gagné grand-chose. Elle a rejoint l'équipe de Criteo d'abord à Paris, puis à Palo Alto, et enfin à New York. Elle a gagné plus d'argent qu'elle n'aurait sans doute pu l'imaginer au départ de l'aventure, et c'est plus que mérité. J'en suis vraiment heureux pour elle.

Un des parcours les plus étonnants est sans doute celui de Pascal, entré chez Criteo comme directeur commercial et marketing, qui ensuite est devenu responsable de toutes les opérations du groupe, avant de nous quitter un an avant l'IPO. Un autodidacte qui n'avait que son bac, mais un flair commercial exceptionnel et une rapidité d'exécution digne d'un vrai entrepreneur. Dans cet écosystème Internet, il dirigeait avec facilité des polytechniciens, des centraliens et autres super-diplômés. Hors du Web, il lui aurait été très difficile d'imaginer ce type de trajectoire. Quelle satisfaction qu'il ait pris ainsi sa revanche sur un système français où les diplômes académiques décident encore trop souvent des carrières !

Tous ces beaux parcours individuels me réjouissent. Je suis également très fier de voir ces jeunes start-up qui sont nées avec des anciens de Criteo ou des personnes directement inspirées par notre histoire. J'espère qu'il y en aura d'autres, beaucoup d'autres. C'est plutôt sympathique d'entendre des entrepreneurs déclarer qu'ils veulent devenir « le Criteo de ceci » ou « le Criteo de cela ».

En France, on parle beaucoup de la panne de l'ascenseur social. La technologie et le numérique ont ce pouvoir de rebattre les cartes. Nous sommes un certain nombre à être des *nobodies* partis de rien. Regardez Xavier Niel, le fondateur de Free, qui a fait une entrée magistrale dans le monde feutré des télécoms. Internet est aussi un secteur neuf. Il n'y a pas de rentes de situations qui sont verrouillées jalousement par une vieille élite établie. Vous pouvez y faire des progressions professionnelles foudroyantes. Et cela pratiquement sans posséder de capital personnel de départ.

Chez Criteo, il n'y a pas de mafia X-Mines ou X-Télécoms qui se cooptent entre eux. Nous regardons ce que les personnes ont fait et font. Pas un vieux parchemin qui montre qu'elles ont bien travaillé il y a quinze ans en classe préparatoire.

Du facteur chance dans le succès

Depuis la première révolution industrielle, chaque génération a ses grandes aventures autour de nouveaux secteurs qui se créent. Le pétrole ou la sidérurgie à la fin du XIXe siècle, l'automobile au début du XXe. Aujourd'hui, nous vivons une révolution encore plus fabuleuse. Le numérique progresse à un rythme bien plus rapide que celui des chambardements passés. C'est une chance de vivre une période aussi extraordinaire. Encore faut-il être entré dans le secteur au bon moment de sa vie.

Je me rappelle ce dîner fin 1999 avec un ancien collègue de TRT, une entreprise d'infrastructures de télécommunication dans laquelle j'avais démarré ma carrière. Nous étions assis devant un plat de pennes à la carbonara et la conversation allait bon train.

– Ça y est, je viens de démarrer la levée de fonds sur Kiwee. C'est vraiment excitant. Et toi, tu ne m'avais pas dit un jour que tu monterais bien une start-up ? Quand t'y mets-tu ?

– Toi, c'est facile. Tu n'as ni femme, ni enfant, ni crédit immobilier sur le dos. Moi, je ne peux pas me permettre de vivre sans salaire. J'aurais dû me lancer il y a cinq ou sept ans, j'avais beaucoup moins de contraintes à ce moment-là.

– Mais, rappelle-toi aussi, à l'époque, personne ne parlait encore d'Internet. Le problème c'est notre secteur, les télécoms. Une fois tombé dedans, c'est très dur d'en sortir.

À cet instant, j'ai réalisé que, moi aussi, j'avais failli rater le train. J'ai pourtant toujours été attiré par le numérique, et je suis entré à Supélec précisément parce qu'on y enseignait la programmation informatique. Insistant pour faire ma troisième année d'école en programme d'échange à Londres (parmi les matières que je voulais maîtriser, l'anglais arrivait très haut dans la liste), je me suis retrouvé dans la spécialité télécoms, seule option proposée à l'époque. Sur le moment, cela m'a paru un simple détour sur mon plan initial.

Insidieusement, l'expertise télécoms chèrement acquise m'a poussé ensuite dans la mauvaise direction. D'autant plus que, dans les années 1990, ce secteur paraissait avoir un potentiel sans limites. À l'époque, les vraies belles start-up télécoms, c'était les opérateurs mobiles qui fleurissaient dans tous les pays avec des croissances spectaculaires. Mais, pour monter un opérateur mobile, il fallait obtenir une licence octroyée au compte-gouttes par les administrations nationales. Et ensuite et surtout, il fallait disposer d'une capacité d'investissement complètement hors de portée du primo-entrepreneur sans références que j'étais. Ce constat m'avait poussé pour ma première tentative d'entreprenariat à m'attaquer à la frange la moins attractive du secteur, les services de *call-back*. Le plus amusant, racontai-je à mon ancien collègue, c'est qu'un mois avant le dépôt de bilan de ma société Kallback France, un de mes actionnaires m'avait suggéré d'utiliser ce qu'il nous restait de trésorerie pour changer de plan et lancer un fournisseur d'accès Internet. Nous étions en 1995, et le secteur des fournisseurs d'accès était morcelé en une myriade de petits acteurs aux modèles économiques incertains. Sur le coup, cela m'avait paru une foire d'empoigne à éviter. Quand je vois l'immense succès qu'est devenu Free, je réalise que je n'avais pas été très visionnaire.

Devant son plat de pâtes, mon camarade s'est mis à rire et m'a lancé :

– Et tu continues encore avec les télécoms. Ton nouveau truc, Kiwee, c'est encore des sonneries de téléphone, non ? J'espère que cela ne va pas te porter malheur. Allez, je porte un toast aux losers des télécoms !

Nous avons trinqué. Mon ami n'en parlait pas trop, mais j'avais l'impression qu'il ne s'amusait pas beaucoup dans son poste. Facile à comprendre. Moi, je n'avais pas tenu plus de quelques années dans le monde de l'entreprise traditionnelle. Il a soupiré en reposant son verre, comme s'il entendait ce que je pensais. Sa conclusion était implacable :

– La vie professionnelle, c'est une sacrée loterie. Il faut être né à la bonne époque, être ni trop jeune, ni trop vieux. Et bien sûr, ne pas rater le bon secteur.

Avec Kiwee, j'étais en effet resté dans les téléphones. Voulant d'une manière ou d'une autre utiliser ma connaissance des télécoms, j'avais eu cette idée d'Internet mobile. Aujourd'hui le secteur est en pleine explosion, mais à cette époque pré-iPhone, l'Internet mobile n'était qu'un concept avec peu de substance. La technologie était balbutiante et l'expérience utilisateur de mauvaise qualité. Pour couronner le tout, les opérateurs mobiles exerçaient un droit de vie ou de mort sur les fournisseurs de contenu mobile. D'où, en partie, ce succès en demi-teinte de Kiwee. Cette expérience a néanmoins été déterminante. J'avais enfin compris comment marchait l'écosystème des start-up Internet. Et aussi bien sûr, pris confiance en moi. Tout cela m'a mis le pied à l'étrier pour démarrer Criteo avec la suite qu'on connaît. Néanmoins, il s'en est fallu de peu. Un pas de côté en trop, et je serais peut-être moi aussi resté coincé dans une entreprise traditionnelle, pour une carrière qui s'annonçait médiocre.

Bref, si j'ai un message pour les jeunes de vingt-cinq ans qui veulent monter leur start-up, c'est de ne pas attendre. Le monde numérique bouge très vite. Pas besoin de se morfondre des années dans un grand groupe pour acquérir de l'expérience. Demain, le jeune geek inconnu sera la prochaine star dont la tête s'affichera en grand sur Times Square.

11

Seules les stars survivent

Go big or go home

Vous vous rappelez peut-être ce slogan assez brutal de Nike : « *You don't win silver, you lose gold.* » Cela se vérifie sur les photos olympiques où celui qui a la médaille d'or est rayonnant au sommet du podium, tandis que son acolyte avec la médaille d'argent ne peut s'empêcher de faire la grimace. Parfois, la différence ne s'est faite qu'à un dixième de seconde. Mais tant pis. Le malheureux médaillé d'argent sait que les médias et la postérité ne retiendront que le vainqueur. Une variante encore plus explicite de cette formule devenue célèbre est : « *Second place is the first loser.* » Les choses ont le mérite d'être claires : si vous êtes le numéro deux, vous faites déjà partie des perdants.

Dans le milieu du numérique aussi, l'adage qu'on retrouve très souvent, c'est « *Winner takes all* », le gagnant rafle toute la mise. Regardez Google. En Europe, il possède 95 % du marché de la recherche sur Internet. Aux États-Unis, Bing et Yahoo! font un peu plus de résistance, mais la domination de Google est néanmoins écrasante. Facebook ? Ils ont rayé de la carte la première génération de réseaux sociaux. Pour la réservation d'hôtels, Booking.com est le leader incontesté dans la plupart des pays européens. Quant à Uber, la seule chose qui le freine pour balayer le secteur du transport urbain privé, ce sont les législations locales protégeant les taxis.

Dans ce monde globalisé, la récompense est telle pour celui qui fait la course en tête qu'il faut se donner toutes les chances pour réussir. Les Américains, qui ont le sens des formules chocs, résument cela par l'aphorisme « *Go big or go home* ». Autrement dit, il faut voir grand d'entrée de jeu, sinon rentrez tout de suite à la maison, cela ne vaut même pas la peine d'essayer. De fait, si vous avez au départ un petit avantage, un concept qui peut faire la différence, il faut foncer comme si demain était le dernier jour de votre vie.

Il est illusoire de vouloir jouer à Astérix. Le mythe du fier petit village gaulois résistant à l'invasion des Romains a vécu. Pour une start-up, cela signifie que, si vous ne vous intéressez qu'au marché français, vous risquez fort d'être marginalisé. Il n'y a pas d'autre choix que de viser d'emblée le marché mondial. Parfois, la seule solution est de se faire racheter à temps, en général par un Américain qui, lui, aura atteint la taille critique pour consolider le marché. C'est ce qui s'est finalement passé avec beaucoup de start-up européennes. À commencer par le Kelkoo de Dom Vidal racheté par Yahoo!. Idem pour Meetic dans le secteur des rencontres, racheté par l'Américain Match.com. Pour les réseaux professionnels, Viadeo en France et Xing en Allemagne se font lentement mais sûrement grignoter par l'Américain LinkedIn, qui est le seul à offrir une couverture globale. La lutte est difficile. Quant à toutes les start-up locales qui, sous les coups de boutoir d'une concurrence anglo-saxonne impériale, ont simplement mis la clé sous la porte, elles sont oubliées.

Il faut être global et si possible vite. *Go big or go home*. Ce qui veut dire que, dès le début, il faut penser son produit pour qu'un jour il puisse être mondial. Cela commence par des petits détails, comme le choix du nom. Criteo ? Selon la légende, Criteo veut dire « je prédis » en grec ancien, ce qui est un joli clin d'œil à notre cœur de savoir-faire. Mais surtout, Criteo, c'est court, facile à prononcer dans toutes les langues, et suffisamment générique pour mettre sous cette marque tous les produits qu'on veut (très utile quand on pivote trois fois, comme nous l'avons fait).

C'est aussi pour cela que nous avons accepté d'emblée de nous diluer fortement dans le capital, en levant ce qui peut paraître beaucoup d'argent. Sans cette force de frappe financière, rien n'aurait été possible. Nous sommes partis avec 3 millions d'euros pour notre premier tour de table. C'était déjà beaucoup, comparé à de nombreuses start-up qui démarrent plutôt avec 1 million, voire moins. Cet argent nous a donné les moyens de persévérer jusqu'à trouver la formule qui marche. Nous avons abordé les tours de table suivants avec le même état d'esprit. Quand il fallut financer notre expansion aux États-Unis, nous avons investi presque 20 millions de dollars avant que ce marché clé ne devienne rentable. Difficile de s'en sortir à moins dans un pays où tout est plus grand et où tout coûte plus cher, salaires, prestataires, loyers. Mais, pour espérer rafler la médaille d'or dans notre catégorie, impossible de faire l'impasse sur ce fameux marché américain. Autrement dit, sans notre percée outre-Atlantique, Criteo aurait été condamné à jouer très vite en seconde division, avec à terme une inévitable marginalisation.

L'irrésistible domination des numéros un

Les choses n'ont pas toujours été ainsi. Dans l'économie traditionnelle, les seconds pouvaient souvent s'en sortir très bien. Dans un marché fragmenté et multilocal, il y avait toujours moyen de se tailler une niche confortable et de prendre sa part du gâteau. Mais, dans un marché globalisé et transparent, ce n'est plus possible. Pourquoi les clients choisiraient-ils le numéro deux s'ils peuvent avoir accès au numéro un ? Et s'il y a bien un secteur où il est particulièrement facile pour les clients d'accéder au numéro un, c'est le numérique. La diffusion de la technologie par les réseaux annule les frontières. Les acteurs de seconde catégorie ne sont plus protégés par la distance. Et plus le numéro un distance ses concurrents, plus le phénomène de concentration a tendance à s'accélérer. Depuis son entrée en Bourse, Criteo s'est mis à grandir beaucoup plus vite que nos petits concurrents locaux. À notre manière, nous illustrons assez bien l'adage « *Winner takes all* ».

Fait qui peut paraître étrange dans ce monde capitaliste, les entreprises les plus prospères ont une fâcheuse tendance à devenir des quasi-monopoles. Chez Criteo, nous en sommes encore très loin. Nous n'avons converti à notre offre qu'une faible fraction du marché potentiel. À l'échelle d'un Google ou d'un Facebook, nous restons un Petit Poucet de la publicité numérique. Néanmoins, la concentration dans notre secteur progresse d'année en année.

Quand Goliath se découvre impuissant face à David

Souvent, la seule chose qui peut faire vaciller une entreprise technologique en situation de domination, c'est l'innovation de rupture. Ce que les Américains appellent la *disruption*, le mot fétiche des gourous du numérique. Malgré les phénomènes de concentration décrits plus haut, les nouveaux vainqueurs peuvent eux-mêmes à leur tour voir leur position vaciller. Parfois en seulement quelques années. Quand une tornade type Airbnb émerge, non seulement cela met sous pression les acteurs traditionnels du tourisme, mais c'est aussi un défi pour les portails Internet de voyage de première génération.

Souvent on accuse les maîtres d'hier en déclin d'être des dinosaures incapables d'évoluer, de s'adapter à la nouveauté. Mais dans ce match David contre Goliath, Goliath, le géant dans son armure, découvre avec effroi que David utilise une arme inattendue contre laquelle il n'a pas de bonne réponse. Que faire en effet quand cette *disruption* vient saper les fondements mêmes de votre métier ? Je rencontre parfois certains dirigeants de ces entreprises en prise avec une nouvelle concurrence inattendue. Au fond d'eux-mêmes, la plupart comprennent avec acuité ce qui se passe. Hélas, il n'y a pas de bonne solution. Adopter le nouveau modèle émergeant, à supposer qu'ils en soient capables techniquement et culturellement, reviendrait à détruire le modèle qui les fait vivre. Et personne n'a envie de creuser sa propre tombe. L'approche la plus pragmatique reste encore de continuer à extraire jusqu'au dernier euro tout le cash qu'il y a encore à se faire dans leur métier traditionnel. Parfois l'agonie peut prendre des années. Il faut l'avouer, ce programme de mort lente n'est pas très excitant pour les équipes qui gèrent la forteresse assiégée. Leur mission est de garder les feux allumés le plus longtemps possible, avant de mettre la clé sous la porte. À ce stade, les plus brillants talents de l'entreprise ont la plupart du temps quitté le navire, ce qui n'arrange pas les choses.

Les exemples de ces nouvelles vagues technologiques qui emportent les anciennes gloires sont légion. Dans l'Internet, un des exemples les plus révélateurs est l'histoire de Yahoo!, le portail généraliste qui dominait l'Internet jusqu'au début des années 2000. Il n'a pas été détrôné par un autre portail généraliste offrant le même service en plus complet. Il s'est fait dépasser par une innovation radicale, une simple page Web ultra-épurée qui n'offrait rien d'autre qu'une simple boîte de recherche. Google. Dans le domaine de la publicité ciblée, un jour, une start-up inconnue viendra peut-être rattraper Criteo. Néanmoins, si cela arrive, il y a peu de chance que cela vienne d'un clone de Criteo qui se contente de reproduire ce que nous faisons. Il s'agira très probablement d'une innovation radicale en totale rupture avec notre propre modèle, contre laquelle il nous sera très difficile de réagir.

À l'échelle d'Internet dans lequel tout va déjà plus vite, les *disruptions* ont tendance à s'accélérer. Dans les années 1990, il fallait mettre beaucoup d'argent sur la table pour monter une plateforme Web robuste. Les serveurs informatiques étaient chers et peu puissants, les technologies complexes à déployer à grande échelle. Quinze ans plus tard, les choses ont bien changé. Des adolescents bricolent des applications mobiles dans leur garage et les commercialisent sur les Apple Stores. C'est fascinant de voir parfois de très petites équipes lancer un service qui se propage sur toute la planète et est adopté par des dizaines de millions de fans. Regardez le fabuleux succès de Supercell, le studio finlandais qui a développé le jeu vidéo *Clash of Clans*. Créée en 2010, cette start-up a été rachetée trois ans plus tard pour 1 milliard et demi de dollars. Au moment de la transaction, l'entreprise n'avait encore qu'une petite centaine d'employés et avait réalisé sa fabuleuse croissance avec très peu de capital.

Avec des cycles aussi rapides, un inconnu peut débarquer de nulle part et tout rafler très vite. Dans le numérique, la probabilité d'un succès planétaire est statistiquement faible, mais le ticket d'entrée est faible également. Et grâce à la diminution drastique du coût de la puissance de calcul et du stockage de masse, il a encore baissé ces dernières années.

La starisation progresse aussi chez les salariés

De façon assez troublante, ce phénomène d'hyperconcentration de la valeur sur très peu d'acteurs se reproduit à l'échelle des individus. Le phénomène est bien connu dans le show business et le monde sportif. Mais, depuis peu, cette « starisation » s'étend à des secteurs de plus en plus nombreux. Cette nouvelle tendance fut le thème principal de mon premier livre publié en 2005. Chez les avocats, les médecins, les ingénieurs, les financiers, une petite minorité brillante capte une partie toujours plus importante du gâteau. Tandis qu'une foule d'autres sont précarisés, et ont de plus en plus de mal à vivre de leur métier. Dans la high-tech, les géants de la Silicon Valley sont allés si loin pour surpayer et choyer certains de leurs employés qu'il devient quasi impossible pour ces derniers de se revendre ailleurs. Dans le milieu, on appelle cela avoir des *golden handcuffs*, des menottes dorées. Et en même temps, d'autres diplômés, dont les compétences sur le papier semblent à peu près équivalentes, peinent à trouver un travail. Quant à ceux qui ont eu la malchance de choisir un secteur moins florissant, ils peuvent, après des années de travail acharné, se retrouver au chômage, et cela sans avoir démérité. C'est injuste mais c'est ainsi. Chez les salariés aussi, les stars raflent la mise.

12

En finir avec l'obsession fiscale

L'argent, une fonction à rendement décroissant

Je fais partie des gagnants du système. Je ne vais donc pas cracher dans la soupe. Je n'ai pas honte d'avoir gagné de l'argent. Mais, pour moi, ce n'est pas un étalon de l'estime personnelle, encore moins une fin en soi. La richesse apporte une chose particulièrement intéressante, elle apporte la liberté de faire des choix, elle étend le champ des possibles. Nous sommes soumis à la gravité, nous vivons, nous mourons. Toute vie humaine est limitée par ces contraintes physiques intrinsèques. L'aisance financière, c'est une manière de s'extraire provisoirement de cette pesanteur, de se sentir un peu moins contraint. En cela, c'est une chance énorme.

Néanmoins, j'ai constaté que l'effet de l'argent est une « fonction à rendement décroissant ». Que veut dire cette belle expression mathématique (je reste un ingénieur, on ne se refait pas) ? Je m'explique. Quand j'ai fait mon premier stage en entreprise, j'ai touché presque 1 000 euros de salaire. Avoir cet argent en poche, cela me paraissait fou, une vraie fortune. Jusque-là, je vivais très chichement, avec un régime d'étudiant fait de carottes râpées et de yaourts nature. Tout d'un coup, j'ai pu dîner au restaurant, m'offrir un bon petit plat, aller au cinéma sans réfléchir. Ce fut un changement énorme, avec un impact immédiat et très concret sur mon quotidien. Au fur et à mesure que j'ai progressé dans ma carrière, j'ai gagné des sommes de plus en plus conséquentes. Cela m'a permis bien sûr d'acheter des gadgets, une voiture, puis un jour mon appartement.

Mais, à chaque nouveau palier franchi, la somme nécessaire pour passer au niveau suivant devient plus importante. Autrement dit, quand vous passez de 1 000 à 2 000 euros par mois de revenus, l'impact sur le quotidien est massif. Vous pouvez faire tellement de choses avec 1 000 euros de plus. En revanche, à l'extrême, si vous passez de 1 à 2 millions par an, cela change très peu votre vie quotidienne. Tout simplement car vous avez déjà plus que couvert l'essentiel non seulement de vos besoins, mais aussi de vos désirs. C'est en cela que l'argent a un rendement décroissant. Plus vous en avez, moins le fait d'en accumuler davantage a d'impact concret sur votre vie.

Maintenant que je suis formellement multimillionnaire, cette question de l'argent en devient d'autant plus abstraite. Ne me demandez pas combien exactement je possède, je n'en ai pas une idée très précise. Ce n'est pas de la coquetterie. Du fait de la fluctuation quotidienne du cours en Bourse de Criteo, je peux me trouver sur le papier à gagner ou perdre plusieurs millions de dollars dans une même journée. Cela reste virtuel et mieux vaut ne pas trop y penser, sinon il y aurait de quoi devenir fou. Le vrai luxe en fait est de ne plus vraiment compter. De juste savoir que vous avez assez sur votre compte pour ne plus jamais regarder les étiquettes quand vous faites les courses.

Du danger de devenir vieux, riche et c…

En réalité, j'avais déjà gagné une grande partie de cette insouciance financière avec le rachat de ma start-up précédente, Kiwee. En 2004, quand j'ai revendu Kiwee, je me rappelle comme si c'était hier mon relevé de compte en banque. Je n'avais jamais vu autant de zéros. Cet argent a changé ma vie. Outre mon appartement parisien, j'ai pu aussi acheter un appartement à Méribel dans les Alpes, où nous avons même habité un temps avec ma famille. Bref, je me suis offert à trente-cinq ans ce à quoi accède un cadre de cinquante-cinq ans qui a bien réussi. J'avais même calculé que, en vivant sans excès, je pouvais partir à la retraite avec trente ans d'avance sur les autres. Je n'avais plus de loyer, des besoins limités. C'était psychologiquement vertigineux, l'impression d'avoir enfin gagné ma liberté. Désormais, je pouvais faire n'importe quoi, devenir un énorme raté ou me noyer dans les jeux vidéo jusqu'à m'en brûler le cerveau (j'avoue, j'ai essayé un temps, c'est terrifiant de voir avec quelle rapidité vous pouvez devenir un zombie asocial). Rien n'était grave, puisque j'avais toujours ce matelas financier de sécurité.

D'un coup, j'avais aussi le luxe inouï de pouvoir tenter de nouvelles choses, sans trop craindre l'échec. Quand j'ai démarré Criteo, ce n'était pas pour faire fortune. J'estimais avoir déjà assez d'argent, et mon objectif de vie n'était pas d'apparaître dans le classement du magazine *Challenges*, bien au contraire. Il s'agissait avant tout de voir si je pouvais réaliser quelque chose de plus grand que tout ce que j'avais pu accomplir auparavant, et, qui sait, à ma manière, changer un peu le monde.

Bien sûr, comme tous ceux qui touchent le jackpot, mon premier réflexe a été d'assouvir quelques caprices. Après Kiwee, pour la première fois de ma vie, j'avais plus d'argent que nécessaire pour mon quotidien. J'ai décidé de dire adieu aux véhicules d'occasion et d'acheter une voiture neuve. Quand on y réfléchit deux secondes, acheter une voiture neuve est une démarche aberrante. Surtout pour moi qui suis tout sauf un mordu d'automobiles.

Mais un caprice est un caprice, et me voilà ressortant de chez le concessionnaire Citroën au volant de ma nouvelle Xsara Picasso gris métallisé toute pimpante. J'avais fait quelques dizaines de kilomètres pour profiter de mon nouveau joujou. Elle sentait le neuf, cette voiture, elle était spacieuse et agréable. Pourtant, un détail m'agaçait un peu. Je n'arrivais pas à m'habituer au toit ouvrant panoramique sur lequel j'avais pourtant beaucoup insisté au moment de la commande. Cela rendait l'habitacle un peu bruyant. Et le gain de lumière profitait essentiellement aux passagers arrière, ce qui limitait l'intérêt de l'option.

Le lendemain, je suis retourné voir le concessionnaire :

– Rebonjour. Vous vous souvenez de moi ? Je vous ai acheté une voiture hier. En fait, j'aimerais la même, mais sans le toit ouvrant.

– Ah, mais ce n'est pas possible. On ne peut pas revenir en arrière, me dit-il d'un air ennuyé, pressentant une discussion longue et un peu pénible.

– Comment ça, ce n'est pas possible ? Vous pouvez quand même bien me la racheter ? Et m'en vendre une autre ? Vous faites cela tous les jours, non ?

– Vous êtes prêt à revendre la voiture que vous avez achetée hier ? demanda-t-il lentement pour être sûr de bien comprendre.

– Oui, et si possible tout de suite.

– Il va falloir la revendre au département occasions, et vous serez donc perdant, dit-il prudemment. Vous allez y laisser au bas mot 3 500 euros.

– Je m'en fiche.

– OK, comme vous voulez, me répondit-il médusé. Je vais voir ce que nous avons en stock.

Sa réaction m'a un peu troublé. Je me suis mis à réfléchir. Ce coup de sang ne me ressemblait pas. En fait, j'étais en train de me comporter comme… un gros con. Capricieux *et* arrogant de surcroît. Exactement le genre de personne qui faisait horreur à mes parents. Qui me fait horreur aussi. Après tout, ce toit ouvrant, c'était très bien. Un peu penaud, je lui ai lancé :

– Bon, en fait, je la garde. Merci, et désolé pour le dérangement.

Bienvenue chez les riches

L'argent n'offre pas tout. Mais souvent les gens riches ont l'illusion que l'argent leur donne au moins le savoir. Pour moi qui viens d'un milieu plutôt intellectuel (dans lequel, pour faire vite, le mot riche rime avec vieux et laid), où le savoir était mis sur un piédestal loin au-dessus de l'argent, c'est difficile à comprendre. Je suis toujours frappé de voir à quel point certains de mes riches congénères ont l'impression de savoir tout sur tout. À noter que ceux qui n'ont pas gagné leur argent eux-mêmes sont en général les plus confits de certitudes.

Comme je l'ai dit plus haut, j'ai habité pendant un moment à Méribel avec ma famille. C'était durant les premières années de Criteo. Je faisais la navette en TGV du lundi au vendredi à Paris. Pour occuper les week-ends de l'intersaison, j'ai essayé le golf, plus par désœuvrement que par passion réelle. Un dimanche au début de l'été, alors que je m'apprêtais à quitter le club de cette station huppée, je vis un homme corpulent et propre sur lui, dans la soixantaine, venir vers moi et m'aborder d'un air résolu sur le parking.

– Vous êtes en voiture ? Vous pouvez me déposer à mon chalet ? C'est à cinq minutes d'ici, me demanda-t-il.

– Pas de problème. Je vous en prie, montez, ai-je répondu.

Il s'installa à côté de moi et je démarrai. Comme beaucoup de geeks, je ne suis pas toujours très sociable mais, parfois, il faut faire un effort. Histoire d'alimenter un peu la conversation, je lui ai demandé :

– Vous venez souvent en vacances à Méribel ?

– J'ai acheté mon chalet il y a dix ans, mais je ne sais pas si je vais rester ici. C'est devenu n'importe quoi avec l'ISF. Avec le renchérissement de la station, maintenant je paye une vraie fortune. Je n'en peux plus. Et le gouvernement qui ne pense qu'à nous en rajouter. Ils ne comprennent rien. À ce rythme, nous allons tous finir sur la paille. Ce pays est ruiné et ils ne pensent qu'à nous taxer davantage.

J'avais fait monter ce monsieur que je ne connaissais pas dans ma voiture, et au lieu d'une aimable conversation sur le temps, la neige, la montagne, voilà qu'il gémissait sur son *pognon*. Je voyais qu'il n'allait pas s'arrêter. La tirade continuait de manière assez prévisible sur l'exil des forces vives, les bons à rien, les planqués, les fonctionnaires. Il devait se dire que, jouant au golf ici, j'étais forcément acquis à sa cause. Je sentais que, cet ISF, c'était presque une douleur physique, une sorte d'arthrose aiguë qui le faisait souffrir sans arrêt. Il s'attendait, je crois, à ce que j'embraye moi aussi sur le grand méchant fisc qui me faisait des misères, un peu comme deux rhumatisants se racontant leurs souffrances chroniques.

– C'est ici.

Nous nous sommes arrêtés devant un chalet rutilant, idéalement situé au pied des pistes. Devant l'entrée trônait un énorme quatre-quatre BMW, flambant neuf. Qu'elle est dure la vie des égorgés de l'ISF ! Mais le pire est qu'il paraissait sincère. Je pense qu'il devait vraiment souffrir dans sa chair de devoir, chaque année, faire ce chèque de l'ISF. Beaucoup de gens riches en sont persuadés, ils méritent leur argent, ils ne l'ont pas volé. Il est donc injuste de les taxer. Ils ont l'impression d'être punis, littéralement dépouillés.

La Belgique et ses SDF (sans domicile fiscal)

Il y a deux ans, j'ai croisé dans un aéroport Nathalie, une ancienne camarade d'école (j'ai changé son prénom). Nous ne nous étions pas vus depuis des années, alors nous avons pris des nouvelles l'un de l'autre. Elle avait deux enfants, une fille et un garçon, elle partait d'ailleurs dans quelques heures à l'île Maurice pour les vacances d'hiver. Michel, son mari, la rejoindrait dans quelques jours. Ils avaient besoin de se reposer, car ils sortaient, m'a-t-elle expliqué, d'un déménagement. Eux, les Parisiens qui habitaient dans le joli quartier du Marais, avaient décidé de s'installer à Bruxelles six mois auparavant.

– Tiens, c'est original, dis-je sans réfléchir. Pourquoi Bruxelles ?

– Michel a vendu sa boîte l'année dernière. Tu as peut-être vu cela dans la presse. Et avec l'ISF, ajouta-t-elle en baissant d'un ton, nous nous sommes dit que, Bruxelles, c'était quand même mieux.

Ah mais oui, bien sûr ! Bruxelles, son accent pittoresque, ses frites, son Thalys et, surtout, sa colonie de Sans Domicile Fiscal. J'ai embrayé avec mon côté je-mets-les-pieds-dans-le-plat.

– Je vois. Et ça vous plaît là-bas ? Tu apprécies la gastronomie locale ?

– Pour être très franche, c'est un peu dur, me répondit-elle, gênée.

Elle avait toujours été assez directe, ce qui la rendait attachante.

– Comment ça ?

– Nous ne connaissons personne, et il n'y a pas grand-chose à faire. Et puis surtout je suis loin de ma famille. Ils me manquent. Mais, bon, il paraît qu'il y a une super communauté française. À nous de faire notre trou.

Elle regardait ses pieds en me parlant. J'ai continué, assez maladroitement je dois dire.

– C'est bien la peine de gagner de l'argent si c'est pour se morfondre dans un endroit que vous n'aimez pas.

– Oui, je sais, je sais, répondit-elle sans détour. Mais, avec de la patience, cela va s'améliorer. Michel me dit qu'il faut juste que nous nous accrochions un peu.

Elle se forçait à sourire, mais elle avait un voile un peu triste au fond des yeux. Je n'ai pas insisté. J'avais un peu mal pour elle. S'accrocher un peu, vraiment ? Alors qu'ils avaient tout pour couler des jours paisibles sur les rives de la Seine ? Tout cela pour une question d'optimisation fiscale. Cela en valait-il vraiment la peine ?

La névrose fiscale est une pathologie très répandue dans les milieux aisés. Ses symptômes sont parfois inattendus. Je me rappelle ce week-end au Touquet. Nous avions été invités avec ma femme chez des amis. Nous venions de nous installer dans le jardin pour prendre l'apéritif quand nous avons vu débarquer devant la maison une énorme Porsche Cayenne. En sortit un couple dans la trentaine. Lui, un beau blazer bleu marine et une chevalière de famille au doigt. Elle, collier de perles, escarpins et look BCBG irréprochable. Une fois les présentations effectuées, la conversation a démarré. J'appris qu'il était entrepreneur dans l'événementiel et qu'elle travaillait à temps partiel avec lui dans sa boîte. À un moment, la jeune femme se pencha vers moi et me demanda tout de go :

– Vous n'auriez pas gardé vos tickets de péage pour venir ici ?

– Mes tickets de péage ? répétai-je, interloqué.

Je ne voyais pas trop ce qu'elle voulait dire.

– Oui, nous faisons toujours comme cela quand nous partons en week-end, expliqua-t-elle avec le plus grand naturel. C'est devenu un réflexe pour nous. Les tickets de péage, nous les récupérons. Comme ça, Christophe peut les passer sur sa boîte et optimiser les frais. Je me disais que, si vous aviez gardé vos tickets et que vous n'en aviez pas l'usage, nous aurions pu vous les prendre.

Il m'a fallu plusieurs secondes pour réaliser ce que je venais d'entendre. Non seulement ce petit couple si propre sur lui semblait pratiquer l'abus de bien social comme d'autres se brossent les dents, mais pour grappiller quelques dizaines d'euros supplémentaires cette jeune femme ne semblait pas troublée à l'idée de quémander des facturettes auprès de quelqu'un qu'elle connaissait depuis dix minutes. La fiscalophobie a ses raisons que la raison ne connaît point.

Les bonnes idées de mon GCF (gentil conseiller financier)

Pour les plus motivés, l'optimisation fiscale est un sport qui peut vite devenir acrobatique. Le secteur de la banque privée prospère grâce à cette obsession des possédants à diminuer leur facture auprès du fisc. Les conseillers fiscaux ont des tonnes d'anecdotes savoureuses au sujet de leurs clients fortunés. Afin de bénéficier du sacro-saint statut de non-résident, il faut prendre soin de ne pas passer plus d'un certain nombre de jours par an dans l'Hexagone. Il y a les exilés des pays frontaliers qui prennent toujours la voiture pour rentrer en France en payant en liquide au péage pour brouiller les pistes. Ceux qui, de retour à Paris, dorment à l'hôtel plutôt que dans leur bel appartement pour éviter les factures EDF qui pourraient les trahir. Les stratégies d'évitement n'ont pas de limites.

Depuis que je suis entré dans leurs radars, une armée de banquiers en costume Prada et cravate Gucci toquent à ma porte, la besace remplie d'idées lumineuses. Voici ce gentil conseiller fiscal (GCF) qui a réussi à me coincer pour une entrevue. Il est très motivé.

– Monsieur Rudelle, nous pouvons vous proposer toute une palette de services pour faire fructifier vos avoirs.

– J'avoue que je n'ai pas trop le temps d'y penser.

– Bien sûr, tous nos clients entrepreneurs nous disent la même chose. Néanmoins, il est important de réfléchir à votre patrimoine. Je peux vous faire bénéficier de placements avec des rendements importants. Jusqu'à 6 % avant impôts.

– Vous savez, avec Criteo, j'ai fait mille fois ma mise de départ. Alors, franchement…

J'ai un peu honte de le couper comme cela de manière abrupte, d'autant que c'est un rendement objectivement tout à fait attractif. Mais discuter de placements financiers, vraiment, ce n'est pas ma tasse de thé.

Bien sûr, il en faut plus pour décontenancer mon GCF. Le voilà qui continue :

– Justement, pour ce qui est de vos titres Criteo, je vous propose de les loger dans une holding au Luxembourg. Cela éliminerait une grande partie du frottement fiscal lié à votre départ aux États-Unis.

Un « frottement fiscal » ? Parfois, les périphrases des gestionnaires de patrimoine sont d'une poésie sublime. Comment expliquer avec tact à mon GCF que je suis peu sensible au frottement fiscal ? Et qu'en plus le concept de holding au Luxembourg me fait l'effet d'une craie qui crisse sur un tableau noir ?

– Merci, mais cela ne m'intéresse pas, je décline poliment. Je trouve cela compliqué. Et puis, je dois dire, l'idée me gêne un peu.

– Pourquoi cela ? Je tiens à vous rassurer, c'est un montage parfaitement légal que nous avons pratiqué des dizaines de fois. Nous sommes une banque sérieuse, et jamais nous ne conseillerions à nos clients de franchir la ligne jaune.

La *ligne jaune*. Je me demande si c'est également ce que disaient à ses clients les conseillers de cette grande banque anglaise récemment touchée par un gros scandale de fraude. Je ne sais pas comment expliquer à ce conseilleur patrimonial que tous ces paradis fiscaux, aussi légaux soient-ils, me semblent aller à contre-courant de l'histoire. Cela ne pourra pas durer éternellement, cette complaisance des grandes nations pour des petits États confettis qui bâtissent une prospérité artificielle sur des arbitrages fiscaux. Pour l'instant, le monde semble s'en accommoder. Y compris mon banquier si à cheval sur la légalité.

Mon interlocuteur a compris que le Luxembourg n'est pas le bon angle d'attaque. Il essaye une nouvelle tactique.

– Je voudrais aussi souligner l'importance de préserver et faire fructifier votre capital à long terme. Il faut penser à vos enfants, ce que vous allez leur laisser en héritage. Pour bien optimiser la fiscalité sur votre succession, il faut s'y prendre très en amont. Nos équipes ont plein de solutions créatives dans ce domaine.

Plein de solutions *créatives* ? C'est fantastique, cela. De quoi adoucir la perspective d'être quatre pieds sous terre. Je réponds doucement à mon GCF :

– Ne vous fatiguez pas. J'ai eu beaucoup de chance dans la vie pour être arrivé là où j'en suis. Cela me semble normal que mes héritiers payent de lourds droits de succession. Mes enfants ont tout ce qu'il faut pour démarrer dans la vie. Et trop d'argent, ce n'est pas forcément leur rendre service.

Silence consterné de mon GCF. Que je veuille payer mes impôts sans sourciller, ce n'était déjà pas bien normal. Mais que je sois fou au point de vouloir que mes enfants en paient beaucoup aussi, ça le dépasse.

Je le sens flotter quelques secondes. Il se reprend vite et dégaine sa dernière carte.

– Bon, au moins, réfléchissez à votre situation aux États-Unis. J'aimerais attirer votre attention sur votre statut de résident. Nous déconseillons fortement à tous nos expatriés français de demander une carte verte. Car ensuite vous serez fiscalisé sur vos revenus mondiaux par l'administration fédérale, même après votre départ des USA. Ce serait vraiment dommage.

– Dommage ?

– En Californie, vous allez payer nettement plus d'impôts qu'en France.

Que cela m'a fait rire d'entendre mon banquier me vanter la douceur fiscale de la France comparée à celle des États-Unis ! Cela devait être le même qui expliquait à ses clients que la France était un enfer fiscal, et que la seule solution était d'émigrer en Belgique.

Les impôts, nécessité pratique

Il y a quelque temps, Stephen King s'est fendu d'une tribune sur Internet intitulée *Tax me for fuck sake* (le lecteur pourra traduire tout seul). Cet auteur prolifique de plus de cinquante romans à succès est un des rares écrivains contemporains à être devenu riche par ses droits d'auteur. Dans ce texte court et truculent, il explique pourquoi il trouve anormal de n'être taxé qu'à 28 % sur ses revenus (il habite le Maine, où le taux marginal est nettement plus doux qu'en Californie). « Les sénateurs américains refusent ne serait-ce que d'envisager d'augmenter les impôts des riches, et gémissent chaque fois que le sujet revient sur le tapis. Pourtant ils ne sont pas, pour la plus grande majorité, immensément riches, même si beaucoup d'entre eux sont millionnaires. Simplement, ils idolâtrent les riches. Ne me demandez pas pourquoi. Je ne les comprends pas non plus, puisque la plupart des riches sont aussi ennuyeux que de la merde de vieux chien mort. » Je laisse bien sûr à Stephen King la responsabilité de ces propos savoureux. L'écrivain continue son analyse : « J'imagine que cet amour des conservateurs pour les riches vient de l'idée que, en Amérique, n'importe qui peut devenir riche s'il travaille dur et qu'il économise ses sous. » Oui, c'est vrai, c'est encore le ressort de l'American Dream. Sauf qu'aujourd'hui les ressorts de la mobilité sociale sont rouillés. Pour Stephen King, payer ses impôts devrait être un acte patriotique. Il conclut sans ambages : « [Savoir faire payer les riches], il faut que cela arrive si l'Amérique veut rester forte et fidèle à ses idéaux. C'est une nécessité pratique et un impératif moral. »

Dans la constitution de tout patrimoine, il y a le plus souvent un gros facteur hasard. Sans même parler des héritiers qui ont eu la chance d'être nés là où il fallait, un self-made man qui réussit a eu aussi la chance d'être au bon endroit au bon moment. Cela n'enlève rien à son mérite et à sa pugnacité. Mais toutes ses qualités propres n'ont pu s'exprimer que parce que les circonstances étaient propices. Sans un minimum de bonnes fées, même le plus talentueux et le plus volontaire des hommes ne peut pas réussir. Et sans une société qui garantit la sécurité physique et juridique des biens et des personnes, il est très difficile d'entreprendre.

Certes le succès est lui-même fragile, des cimes au précipice, il n'y a qu'un pas. Mais dans un monde sans guerre et sans catastrophe majeure, le patrimoine, une fois accumulé et liquide, est relativement facile à préserver. Dans leur confort ouaté, les possédants oublient parfois ce qu'ils doivent au reste de la société, qui leur permet de jouir avec quiétude de leur bonne fortune. Dans ce microcosme – que j'ai appris à découvrir – l'impôt est malheureusement perçu comme injuste et spoliatif.

La Silicon Valley, ses millionnaires et ses pauvres

La Silicon Valley offre un panorama particulièrement intéressant, une sorte de concentré du monde de demain. C'est ici que se conçoivent beaucoup des produits qui sont en train de façonner le futur. C'est aussi là que l'on voit à l'œuvre certains déséquilibres sociaux liés à cette révolution technologique. Certes, nous n'en sommes pas encore à un univers du type *Le Meilleur des Mondes* d'Aldous Huxley. Mais, difficile de le nier, les gagnants du système raflent de plus en plus la mise. Cette machine à rêves attire les talents du monde entier, qui viennent prendre leurs tickets à la grande loterie technologique. Une poignée de gagnants concentrent des richesses vertigineuses, ce qui bien sûr stimule un flot continu de nouveaux venus tenter leur chance.

Un jeune immigré de vingt-cinq ans parti de rien peut devenir milliardaire en quelques années. Je pense par exemple à l'extraordinaire parcours d'un Jan Koum. Fils d'une femme de ménage et d'un chef de chantier, il a passé toute son enfance en Ukraine dans une maison sans eau courante. À seize ans, la famille émigre aux États-Unis. L'adolescent fait le ménage dans une épicerie du coin et la queue pour des bons alimentaires devant des magasins de Mountain View. Réussit à se faire embaucher chez Yahoo!, où il s'ennuie vite. Crée une petite application pour téléphone mobile, WhatsApp. Cette messagerie instantanée rencontre un succès miraculeux, là où beaucoup d'autres se sont cassé les dents sur le même créneau. Cinq ans plus tard, la société est rachetée par Facebook pour 19 milliards de dollars. Difficile de trouver plus belle incarnation de l'American Dream.

La création de valeur n'a jamais été aussi élevée dans la Valley, qui abrite, paraît-il, une cinquantaine de milliardaires et une dizaine de milliers de millionnaires. La commune d'Atherton, qui jouxte Palo Alto, affiche le prix moyen des logements le plus élevé des États-Unis. Impossible d'y dénicher une maison à moins de 3 millions de dollars, et souvent mieux vaut compter le double. Dans les collines qui dominent la vallée, les nouveaux *moguls* se font construire des ranchs extravagants. Néanmoins, cela reste une toute petite minorité, rapportée à la population californienne. Au moment de son rachat, WhatsApp n'employait qu'une cinquantaine de salariés. Ce fut un véritable jackpot pour eux. Mais, en même temps, quelle meilleure illustration de l'hyper-concentration du succès ?

Derrière tous ces jolis contes de fées médiatisés, ce monde-là a aussi sa face sombre. À côté de la poignée d'élus bénis des dieux se trouvent les milliers de sans-grade qui ont eu moins de chance et dont la start-up a connu la sortie de route. Et surtout, malgré ce feu d'artifice de richesses, on voit apparaître à San Francisco et dans la Vallée des cohortes de sans domicile fixe qui vivent dans leur voiture ou des baraquements de fortune. Parfois à quelques dizaines de mètres des résidences de luxe. La révolution technologique est fascinante, mais elle ne profite pas à tout le monde. Une partie importante de la population est laissée sur le bord de la route. Avec peu d'espoir de revenir dans le jeu.

L'explosion des inégalités

Dans son best-seller *Le Capital au XXIe siècle*, l'économiste Thomas Piketty analyse, statistiques à l'appui, la dimension historique de ce phénomène de concentration des richesses. Pour rappel, l'idée centrale de son livre est que le rendement du capital étant structurellement plus élevé que la croissance économique, les patrimoines privés ont tendance à se concentrer au fil du temps. Les seules forces pouvant contrecarrer cette concentration étant une fiscalité fortement progressive ou des chocs majeurs type guerre mondiale (ce que, bien sûr, personne ne souhaite).

Pendant des semaines, ce pavé assez aride – de surcroît écrit par un économiste français complètement inconnu outre-Atlantique – s'est retrouvé de manière inattendue en tête des ventes aux États-Unis. Si la thèse de Piketty a rencontré un tel écho, c'est notamment dû à l'explosion des inégalités depuis trente ans au sein de la première économie du monde. Cette nouvelle dynamique s'est enclenchée à la suite d'un changement majeur de la doctrine fiscale américaine, qui a vu le taux marginal d'imposition diminuer de manière spectaculaire par rapport aux décennies précédentes. Tandis que les hauts revenus et grands patrimoines ont flambé, les revenus moyens, eux, ont stagné. Les deux tiers de la croissance américaine ont été accaparés par 1 % de la population, le creusement des inégalités étant encore plus net si on zoome sur les 0,1 % les plus riches, voire les 0,01 %. En pointant du doigt là où ça fait mal, ce livre titille les fondements de l'American Dream. Avec une mobilité sociale et patrimoniale qui se réduit à une poignée d'heureux élus, cette évolution récente ébranle le cœur de l'identité américaine qui – il faut le rappeler – s'est construite au XVIIIe siècle sur le mythe de l'égalité des chances, par réaction à la vieille Europe où une mince élite aristocratique verrouillait ses privilèges.

En France, où pourtant les inégalités sont moins criantes, ce livre gêne aussi dans un certain milieu. C'est devenu une blague avec ma femme quand nous sommes invités à dîner et que je lui dis : « On se fait un *Piketty time* ce soir ? » C'est le nom de code pour lâcher le pavé dans la mare au moment du dessert : « Au fait, qu'est-ce que vous pensez du *Capital au XXIe siècle* ? » Rien de tel pour voir monter d'un coup la tension autour de la table. En général, les réactions ne se font pas attendre.

Il y a les hostiles de principe, comme l'économiste libéral Nicolas Baverez, qui a joliment labellisé l'ouvrage de « marxisme de sous-préfecture ». Dépeindre Piketty en dangereux agitateur bolchevique permet d'esquiver habilement le fond du débat.

Je rencontre aussi souvent des idéologues adeptes de la théorie du complot : « Bienvenue en URSS ! Piketty manipule les chiffres pour prôner de taxer les riches à 90 %. »

Très classique aussi, la position du déni de principe : « Mais qui prouve que les inégalités augmentent ? Encore des contrevérités de journalistes. Il y a plein de statistiques qui prouvent le contraire. » (Ne leur demandez pas leurs sources, en revanche, cela les énerve.)

Vient ensuite le tour des darwinistes sociaux. Ceux-là ont le mérite d'assumer une position claire et cohérente : « Les inégalités ne sont pas une mauvaise chose en soi, au contraire. Les inégalités permettent à la société d'être plus efficace. Cela s'appelle la méritocratie. C'est ce qui a fait la force de l'Occident. »

Si je voulais être un peu cynique, je pourrais traduire cela par : « Qu'importe l'explosion des inégalités, tant que je suis du bon côté du manche. »

L'argument mérite que nous nous y attardions un peu. Après tout, à chacun ses valeurs. Si vous êtes à l'aise avec l'idée d'un monde cloisonné, avec d'un côté une minorité d'ultra-riches qui se barricadent dans des *gated communities* gardées comme fort Knox et de l'autre le reste de la population qui ne voit pas grand-chose du progrès, où est le problème ? Oublions un instant la dimension morale, pour nous concentrer sur l'argument de l'efficacité.

Les défenseurs du grand patrimoine vous le répètent sur tous les tons, la croissance économique règle le problème des inégalités. Les riches investissent, créent des emplois, ils font prospérer l'économie, et au final tout le monde y gagne. Après tout, pourquoi s'offusquer que les riches s'enrichissent si les pauvres deviennent *aussi* un peu moins pauvres ? Cela semble d'une logique implacable. Seulement voilà, comme on l'a vu, les statistiques sur l'évolution des États-Unis sur les trente dernières années infirment cette jolie thèse. Ce cas d'école où la croissance n'a profité qu'à une très petite minorité est pour le moins perturbant. Et la nouvelle vague de livres qui spéculent sur la fin du travail (remplacé par des machines de plus en plus intelligentes) décrivent un monde qui va encore plus loin dans ce sens.

Et l'ascenseur social ? L'American Dream fondé sur des self-made men partis de rien ? Le premier problème, c'est que les inégalités ont la fâcheuse tendance de survivre au passage des générations. Les enfants de milieux défavorisés ont statistiquement beaucoup moins de chances de réussir que les mieux lotis. Et ce malgré tous les efforts des politiques publiques pour réduire ce fossé. Ensuite et surtout, avec la révolution numérique, l'ascenseur social devient une minuscule cabine supersonique. Pour les gagnants qui ont la chance d'avoir rejoint une start-up à succès, la montée est très rapide. Mais, à l'échelle d'un pays, au final cela ne concerne que très peu de monde.

Pourquoi les riches (dont moi) vont devoir payer plus d'impôts

Vous me trouvez pessimiste ? Pas besoin d'être grand clerc pour réaliser que trop d'inégalités créent une société dysfonctionnelle. Pour éviter cela, il va bien falloir réfléchir à des mécanismes de régulation du système. Qu'on le veuille ou non, j'ai le sentiment que nous nous dirigeons vers un monde dans lequel les riches vont devoir s'habituer à payer plus d'impôts. C'est la tendance lourde de l'histoire, la conséquence logique de cette révolution numérique. Et quand je parle des riches qui doivent être plus imposés, je m'inclus dans le lot. Cette idée provocante a le don de déclencher une levée de boucliers, surtout en France. Avec l'allergie qu'ont nos compatriotes pour le sujet, il est facile de voir pourquoi aucun politique modéré n'ose afficher un programme de hausse de la fiscalité. En Californie, bizarrement, on voit parfois le contraire. À Palo Alto, il y a des campagnes électorales menées par des candidats qui se vantent de proposer d'augmenter les impôts locaux pour offrir davantages de services publics. Vue à travers le prisme hexagonal, cette surenchère fiscale paraît surréaliste.

Prenez les fameux 75 % brandis par François Hollande lors de la campagne présidentielle de 2012. Que n'a-t-on entendu là-dessus, jusqu'au fait que ce taux était inconstitutionnel ! Pourtant, cette tranche existait bien aux États-Unis, il y a une cinquantaine d'années.

Comme le rappelle Thomas Piketty dans son livre, « entre 1930 et 1980, le taux supérieur d'imposition sur les revenus au-delà de 1 million de dollars était en moyenne de 82 %. Non seulement ça n'a pas tué le capitalisme américain, mais il y avait plus de croissance aux États-Unis dans les années 1950-1970 qu'il y en a depuis les années 1980. » Corrélation ne veut pas dire causalité. Loin de moi l'idée qu'imposer aujourd'hui un taux marginal à 90 % nous ferait retrouver les taux de croissance des Trente Glorieuses. Néanmoins, il est parfois bon de rappeler que des taux d'imposition qui dans le contexte ambiant paraissent aberrants ont été pratiqués dans un relatif consensus pendant des dizaines d'années, et cela dans le pays qui incarne le modèle libéral par excellence.

Mieux vaut taxer les morts que les vivants

Bien sûr, tous les impôts ne sont pas équivalents. Dans l'intérêt des générations futures, mieux vaut favoriser l'investissement que la rente. Du coup, un bon angle fiscal serait de s'attaquer aux successions. Dans une société dont l'idéal est de promouvoir l'ascenseur social et la méritocratie, imposer les héritiers devrait en principe être assez consensuel. Cela va dans le sens de l'égalité des chances évoquée plus haut. Et pourtant, contre toute logique, dans tous les pays développés, les citoyens préfèrent qu'on taxe l'argent qu'ils gagnent que l'argent qu'ils légueront à leurs enfants. Les politiques l'ont bien compris et la plupart des systèmes fiscaux modernes font la part belle aux héritiers par rapport à ceux qui travaillent. Aux États-Unis, Bill Gates a donné 95 % de son immense fortune à sa fondation. C'est une exception. Les réflexes dynastiques sont profondément ancrés, et c'est encore plus vrai dans la vieille Europe. Avec la concentration croissante des patrimoines privés, les questions d'héritage, qui étaient assez marginales pour la génération de nos parents, reviennent à la surface, lentement mais sûrement. Et pourtant, personne n'a envie de revenir au monde de Balzac. Piketty évoque dans son livre le discours de Vautrin à Rastignac, qui démontre avec brio et cynisme que, quand vous n'êtes pas né dans la bonne famille, la seule manière de s'enrichir est de faire un beau mariage. C'est terrifiant. Heureusement, nous n'avons pas régressé à ce point. La preuve, dans le secteur de la technologie, de jeunes geeks réussissent à devenir millionnaires sans épouser d'héritière. Mais il ne faut pas oublier tous ceux qui ne voient que les miettes de notre révolution numérique.

13

Quel salaire pour le patron ?

Comment payer un fondateur

Comme les champignons en forêt, les polémiques sur les salaires des patrons reviennent de manière régulière dans les médias. Il y a parfois un scandale croustillant à se mettre sous la dent, un énorme parachute provocant qui fait la une des journaux, un bonus qui flambe alors que justement la société vient d'annoncer une vague de licenciements…

Longtemps, pour moi, cette question du salaire des dirigeants a été un sujet marginal. J'étais avant tout focalisé sur la croissance de ma start-up et tout le reste me paraissait assez secondaire. D'ailleurs, aux débuts de Kiwee et de Criteo, je n'avais pas du tout de salaire. C'est le lot de tout fondateur. Pour Kiwee, j'avais mis de côté assez d'économies personnelles pour vivre pendant un an sans ressources extérieures. Pour Criteo, j'avais en plus le confort d'avoir touché un beau chèque lors de la vente de Kiwee. Cette situation des fondateurs sans aucun salaire dure en général jusqu'à la première levée de fonds. Pour les primo-entrepreneurs, la solution la plus courante est de vivre au début sur ses indemnités chômage. Il y a même une plaisanterie dans le milieu qui dit que, le premier financeur de start-up de France, ce sont les Assedic. Au pire, il existe toujours le RMI, comme en ont bénéficié mes associés Romain et Franck. Ce n'est pas grand-chose mais, quand vous n'avez pas la charge d'une famille, ni d'emprunt, cela permet de tenir un certain temps.

Une fois la première levée de fonds effectuée avec les Vici vient la question de la rémunération des fondateurs. Sur ce sujet sensible, la bonne gouvernance veut que leur salaire soit décidé par les investisseurs. Lorsque fondateurs et financiers ont le bon état d'esprit autour de la table, cette discussion est vite expédiée. L'idée est que l'essentiel du gain financier d'un fondateur se fait de toute façon non pas sur son salaire, mais sur la valorisation future de son capital. De fait, la pratique générale est de payer les fondateurs assez pour leur permettre d'assurer leur train de vie sans stress excessif. Donc ni gros salaire, ni même un salaire de marché, mais un salaire décent. Ensuite, chaque année, la situation est réévaluée selon les mêmes critères.

Pour Criteo, j'avais une espèce d'entretien annuel, presque comme un salarié normal. Au cours de cette discussion, je demandais ou pas une augmentation, en faisant en sorte que ma proposition soit assez raisonnable pour couper court à toute discussion inutile avec mes financiers. Lorsque le chiffre d'affaires s'est mis à décoller rapidement, nous avons eu un peu plus de marge de manœuvre. Mais, pour demeurer dans l'esprit start-up, nous sommes toujours restés nettement en dessous de ce à quoi j'aurais pu prétendre sur le marché. Pas question non plus de compléter mon salaire par des dividendes annuels. Ce type de versements, si répandu dans les entreprises traditionnelles, est quasi étranger au monde des start-up technologiques. Même lorsque Criteo est devenu rentable, notre excédent de trésorerie a toujours été précieusement conservé en interne, la priorité étant toujours donnée à l'investissement dans la croissance.

Cette manière de gérer mon salaire a duré pendant les huit premières années de la vie de la société. Lorsque, début 2013, nous avons commencé à nous mettre en ordre de marche pour l'introduction en Bourse, les choses ont changé. Nous avons dû nous poser plein de nouvelles questions liées au fait que mon salaire et celui des principaux dirigeants allaient entrer dans le domaine public. Autrement dit, nous allions devoir justifier aux yeux du reste du monde mon niveau de rémunération. Pour cela, le plus simple était de regarder les pratiques du marché pour des sociétés de taille similaire. En faisant la moyenne sur une vingtaine de start-up cotées nous sommes arrivés à une sorte de salaire de référence du marché. Et là, cela a été la surprise. J'étais payé très en dessous de mes pairs. Effet magique ou pervers du *benchmarking*, le conseil d'administration a décidé de m'augmenter de façon très conséquente pour me caler pile au milieu de l'échantillon. C'est d'ailleurs une philosophie générale pour les rémunérations de Criteo. Nous essayons de payer les employés ni trop ni pas assez par rapport au secteur. Cette pratique d'alignement sur le marché évite en principe les aberrations. Mais, en même temps, ce système crée parfois des mécanismes inflationnistes difficiles à contenir pour des sociétés qui avaient jusque-là pratiqué la modération.

Chaque année, nous recommençons cet exercice de calibrage. Comme on peut l'imaginer, le salaire des dirigeants est corrélé au chiffre d'affaires (et à la capitalisation boursière) de la société. Comme Criteo grossit vite, nous sommes comparés à des sociétés toujours plus importantes. Comment savoir si le salaire d'un dirigeant est légitime ? Ai-je réellement été plus performant et intelligent qu'un patron qui se débat avec une entreprise dans un secteur en crise, comme la sidérurgie ou les machines-outils ? Difficile à dire. Toujours est-il que cette question délicate du salaire des dirigeants fait la manne de sociétés spécialisées en études sur les rémunérations. Ils nous écrivent de jolis rapports bardés de chiffres, de comparaisons et de recommandations sur les « bonnes pratiques ». Cette approche a le mérite de donner un vernis scientifique à un sujet facilement inflammable. Une manière de désamorcer d'éventuelles polémiques en faisant de cette histoire de salaire quelque chose d'extérieur à la société, qui soit défini avant tout par le marché.

Les rémunérations dans une start-up

Depuis quelques années, les salaires des dirigeants ont tendance à augmenter plus vite que l'inflation. Plus vite aussi que le salaire moyen des employés. C'est un fait constaté par les chiffres. Il ne s'agit pas de céder à la démagogie. Il est normal de bien payer un cadre dirigeant, car son impact est déterminant sur la bonne marche de l'entreprise. La différence entre des bonnes décisions et des décisions médiocres peut avoir un impact énorme sur la trajectoire d'une société. La capacité à prendre ces décisions sous contraintes fortes doit être bien rémunérée. Mais à quelle hauteur exactement ? Dans les grandes organisations, les situations sont par nature complexes, avec en général beaucoup d'intervenants et de parties prenantes. Il est compliqué de démêler exactement ce qui revient au mérite spécifique du dirigeant. Pour un conseil d'administration qui n'a par définition qu'une vue limitée de la vie quotidienne de l'entreprise, ce n'est pas facile.

Il y a néanmoins des pratiques qui sont plus polémiques que d'autres. Par exemple, les clauses de *golden parachutes* ont été souvent pointées comme la quintessence des dérives salariales des cadres supérieurs. De manière générale, je suis assez défavorable à cette pratique, qui envoie un mauvais signal et qui, dans certaines situations, est susceptible de créer un conflit d'intérêts entre le salarié et l'entreprise. Cependant, je constate que les parachutes dorés sont devenus la norme sur le marché des grands dirigeants. L'argument majeur est que, contrairement à un salarié lambda, le P-DG est moins protégé. Il peut être limogé sans justification à tout moment, avec un préavis de quinze jours seulement et sans indemnités (c'est mon cas). D'où cette obsession de certains patrons de réclamer des parachutes dorés. Par effet de capillarité, la pratique s'est répandue à certains cadres de direction, alors qu'ils sont pourtant déjà protégés par leurs contrats de travail.

Chez Criteo, lorsque j'ai recruté mes managers les plus seniors, la négociation de leur rémunération a toujours été un moment tendu. Les meilleurs talents ont souvent une conscience aiguë de leur valeur sur le marché, et négocient âprement en conséquence. Ils testent les limites, tout en prenant soin d'éviter la rupture. Même si c'est parfois un peu frustrant, c'est un jeu presque inévitable.

Il n'est pas possible de mettre une valeur absolue en euros en face de quelqu'un. Dans beaucoup de secteurs, ceux qui sont plus proches de l'argent – les financiers, les commerciaux – ont tendance à rafler la part du lion. Mais, dans le monde des start-up, c'est différent. La technologie est au cœur du système, c'est elle qui dicte le tempo au reste de l'entreprise. Chez Criteo, nous apportons une attention toute particulière aux développeurs informatiques. Eux qui dans beaucoup d'entreprises traditionnelles sont encore traités comme des citoyens de seconde zone, ils sont nos stars. La revanche des geeks, en quelque sorte.

Épilogue

Septembre 2015

Tous les parents connaissent ce sentiment, cette fierté de voir leurs enfants grandir. Dans l'album de famille, nous consignons, un peu émerveillés, les premiers pas, les premières dents, le premier livre lu, la première remise de diplôme (aux États-Unis, cela commence à la fin de l'école primaire avec une cérémonie digne d'un doctorat). Cette fierté ne va jamais sans un petit pincement au cœur, une vague nostalgie d'une époque révolue. Mes filles sont maintenant des adolescentes. Spontanément, elles parlent en pur américain, au mieux dans un charabia improbable du genre :

– Tu as vu la *spider* dans la *grass* ? C'est *gross*.

– Papa n'a pas compris, je soupire. Répète-moi cela en bon français.

– Je voulais dire l'araignée dans l'herbe, c'est répugnant !

– Et au fait, tu as révisé ta leçon sur l'histoire de France ?

– J'ai déjà tous mes devoirs pour l'école.

– Nous en avons déjà parlé, c'est important. Tu dois lire un chapitre chaque semaine. Nous en étions à la guerre de 1870.

– Je sais, je sais. Je l'ai fait.

– OK, alors explique-moi ce qui s'est passé durant la Commune de Paris.

Comme tous les adolescents, elles ont leur univers, leur musique que je n'écoute pas, leurs codes que je ne comprends pas. Un jour, elles partiront de la maison, elles n'auront plus besoin ni de moi ni de leur mère, elles voleront de leurs propres ailes.

Un entrepreneur vit un peu la même chose avec sa start-up. Pendant les tout débuts, vous ne dormez pas, comme ces jeunes parents angoissés qui restent à l'affût de la respiration de leur nourrisson. Vous avez peur de la sortie de route prématurée, de la levée de fonds qui ne viendra jamais. Et puis là aussi viennent toutes les premières fois. La première rencontre avec les associés, la première levée de fonds, le premier gros client, d'abord en France puis à l'international. Et l'IPO bien sûr. C'est un peu comme le passage du bac pour son enfant. À la fois la fin d'un cycle et le début du suivant. Depuis que Criteo est coté en Bourse, c'est une nouvelle vie qui commence. Peu à peu, la start-up acquiert sa propre dynamique, tout en continuant sa croissance. Franck a décidé de partir, avec l'envie, que je comprends très bien, de lancer une autre start-up afin de retrouver cette excitation des débuts, quand tout reste encore à écrire. Romain au contraire est plus impliqué que jamais dans l'aventure Criteo. Après avoir piloté la formidable montée en puissance de notre équipe technique, il a décidé de relever un nouveau défi de taille, gérer les ressources humaines pour tout le groupe. Pour Criteo, c'est un symbole fort de voir un des fondateurs se consacrer à ce sujet si stratégique.

J'ai eu la chance extraordinaire de pouvoir conduire cette aventure durant toutes ces années. À chaque nouvelle étape de la croissance, j'ai dû réinventer mon propre rôle. Cela n'a rien à voir de diriger une start-up de dix, cinquante, trois cents ou deux mille personnes. Les enjeux et les problèmes sont complètement différents. Les méthodes qui marchent et les fausses bonnes idées aussi. Il faut sans arrêt tuer les recettes qui ont fait le succès de l'étape précédente et réinventer de nouveaux modes de fonctionnement. La seule manière de grandir est de recruter à chaque poste des professionnels qui soient les meilleurs possible. Et de déléguer des pans toujours plus importants de la gestion quotidienne. Si vous n'évoluez pas, si vous persistez à vouloir tout gérer en direct, vous devenez très vite votre propre goulot d'étranglement.

Au fil des années, j'ai fait venir des experts. Sur chaque sujet, ils sont bien meilleurs que moi. Je leur fais entièrement confiance. Cela a commencé avec la technologie avec Franck et Romain. Puis sont venus le commercial, le marketing, la finance et les opérations. Je m'attache de moins en moins à l'exécution, la mise en œuvre. Mon rôle n'est plus le *comment*, mais le *pourquoi*. Pourquoi allons-nous dans cette direction, quand telle autre serait une impasse ? Pourquoi ce produit correspond-il à l'ADN de Criteo, alors que cet autre risquerait au contraire de nous égarer ? C'est ainsi de mon rôle aujourd'hui. Je me vois comme une vigie qui explore et explique où nous allons.

Comme les parents qui laissent leurs enfants voler de leurs propres ailes, un jour viendra où je passerai complètement la main à d'autres. Pour que Criteo continue de grandir toujours plus, de repousser les limites du possible, il faudra peut-être à un moment une nouvelle vision stratégique. Cela ne me fait pas peur, c'est même dans l'ordre des choses. Cette discipline d'avoir toujours à chaque instant les meilleurs à chaque poste, il est important que je me l'applique à moi-même.

Je relis ces pages et je vois comme nous avons avancé. En juin 2015, nous avons organisé le Criteo Summit, un grand rassemblement où nous faisons venir tous les salariés du monde entier pendant quelques jours en France. Les Criteos (le surnom des employés en interne) plébiscitent ce moment où nous nous retrouvons tous ensemble. Sous le chapiteau bourré à craquer, l'ambiance est impressionnante, digne d'un concert de Johnny. Chaque année, nous avons perpétué cette tradition, même si désormais, avec plus de mille cinq cents personnes, la logistique de l'événement devient un vrai défi. Dire qu'au début il me suffisait de réserver une salle dans un bar et de payer ma tournée. Dire que je connaissais le nom de tous les salariés. Maintenant, nous avons tellement de bureaux dans le monde entier que je n'ai même plus le temps de tous les visiter une fois par an.

Jamais je n'aurais imaginé en arriver là. J'ai cette chance fabuleuse de me lever chaque matin en me demandant ce que la journée va me réserver. Mon agenda se remplit à toute vitesse et je bataille pour me réserver de la « bande passante » – encore un terme de geek – pour prendre un peu de recul. Ma vie professionnelle faite de voyages incessants empiète fortement sur le temps familial. Mes amis parfois m'interrogent : « Mais pourquoi tu continues ? » Et moi aussi, parfois, je m'interroge sur ce qui m'incite tous les jours à sauter de mon lit, à me jeter sur mes e-mails, à attraper un avion et, tout simplement, à continuer. Après tout, je pourrais tout arrêter et juste couler des jours heureux.

Je l'ai déjà dit dans les premières pages, j'ai toujours voulu créer mon entreprise. Mais alors que l'ouvrage touche à sa fin, je vais faire cette confession au lecteur. À vingt-quatre ans, lorsque j'ai débuté ma vie professionnelle, je pensais qu'une fois atteints le succès et la réussite financière qui va avec je m'arrêterais illico de travailler. D'où me venait cette évidence ? Pendant les classes préparatoires, je m'étais complètement abruti de travail, bachotant mes cours de mathématiques et de physique sans éprouver le moindre plaisir. Quand j'ai intégré Supélec, je me suis transformé du jour au lendemain en « glandeur » de première classe. J'ai séché pratiquement l'intégralité des cours magistraux et fait le strict minimum pour me maintenir à flot. Au point d'ailleurs que, la dernière année, j'ai failli rater mon diplôme. Je me rappelle encore le sermon très sec du directeur des études, qui m'a dit que j'étais la honte de l'école. De ces années, il m'apparaissait clairement que j'étais au fond de moi un authentique fainéant, juste capable de mettre un coup de collier lorsque l'enjeu était vraiment important.

Mes premières expériences dans le monde du travail salarié, où je me suis morfondu d'ennui, m'ont conforté dans cette conviction. La vie professionnelle me semblait tout sauf épanouissante, et j'étais bien décidé à m'en extraire coûte que coûte le plus vite possible. Monter ma propre entreprise et gagner suffisamment d'argent pour ne plus devoir pointer au bureau me semblait le plus court chemin vers cette liberté si précieuse. Bien sûr, j'ai toujours su que m'arrêter de travailler ne voulait pas dire m'avachir sur un canapé toute la journée, à boire des bières devant la télévision (il est vrai que je n'aime pas la bière). Mais j'avais en tête une vie de voyages itinérants, de lectures érudites et de rencontres inattendues, pimentée de fêtes et de discussions philosophiques jusqu'au bout de la nuit. Un peu à la manière de ces aristocrates du siècle des Lumières dont l'insouciance oisive leur permettait de vivre une vie aussi douce que stimulante.

La question s'est posée une première fois après la vente de Kiwee. J'avais gagné assez d'argent pour m'arrêter de travailler et partir pour un tour du monde perpétuel, tout en gardant un solide filet de sécurité pour un éventuel retour à la vie sédentaire. À condition de maintenir un train de vie raisonnable – ce qui me convenait très bien – c'était tout à fait possible. Mais, entre-temps, j'avais fondé une famille, avec deux filles qui étaient en âge d'aller à l'école. J'ai vite compris que cette vie de routard éternel n'était pas idéale pour des enfants, qui ont besoin avant tout de stabilité pour se construire. Plus mes filles ont grandi, plus elles ont réclamé cette stabilité. Je crois que les enfants changent si vite qu'ils ont besoin de repères, si possible immuables. J'étais comme eux à leur âge. Lorsqu'à huit ans mon père a troqué sa vieille 304 Peugeot à bout de souffle contre le même modèle rutilant, j'ai vécu cela comme une catastrophe. Bref, il était hors de question que je prive mes filles d'une enfance « normale » avec une vie sociale et des amis de leur âge. Un sentiment partagé par ma femme, qui avait elle-même souffert dans son enfance d'être ballottée à tous vents. Nous avons donc opté pour une vie sédentaire, et j'ai vite compris que rester cloîtré chez moi n'était pas envisageable. Une chose en entraînant une autre, l'envie de remonter une autre start-up s'est rapidement imposée à moi.

Aujourd'hui, alors que Criteo est coté en Bourse et que j'ai engrangé plus d'argent qu'il ne m'en faut pour m'assurer une vie très confortable, j'entends de nouveau cette question récurrente : « Alors, quand est-ce que tu t'arrêtes ? » C'est même devenu un refrain. Les personnes qui m'interrogent sont d'ailleurs sincères et bien intentionnées. C'est une manière polie de s'enquérir de mon bien-être. Malgré notre grandiose et sanglante Révolution, dont nous sommes si fiers, il doit subsister dans la culture française une vieille fascination pour les aristocrates oisifs. Que je partageais d'ailleurs puisque, à vingt-cinq ans, cela me semblait à moi aussi un mode de vie idéal. À l'inverse, je note que jamais personne ne me pose cette question aux États-Unis. Dans ce pays aux racines protestantes, cela paraîtrait presque incongru.

Alors que j'avais théorisé le contraire pendant des années, je me retrouve donc souvent en France à devoir justifier auprès de mes interlocuteurs pourquoi je continue à travailler.

Pourquoi, en effet ?

La première chose qui me vient à l'esprit est la curiosité intellectuelle. Diriger une start-up en hypercroissance est une des expériences les plus stimulantes que j'ai pu vivre. Je fais face à des situations très variées, des nouveaux défis apparaissent sans cesse, il faut sans arrêt revoir ses certitudes les mieux établies. Tous les jours, j'ai l'impression d'apprendre quelque chose de nouveau. Quoi de mieux pour moi qui ai horreur de la routine ?

Il y a aussi un autre moteur plus profond. Que ce soient les employés qui ont quitté des jobs confortables pour nous rejoindre, nos investisseurs qui ont misé des montants importants ou nos clients qui comptent sur nous pour assurer leurs ventes, tant de gens m'ont fait confiance. Pour mériter cette confiance, j'ai essayé et j'essaye encore de faire en sorte que Criteo soit sur une trajectoire aussi solide que possible. Parfois, j'ai presque l'impression de faire « mon devoir », même si j'ai bien conscience que cette expression désuète et surannée a de quoi faire sourire. Cet étrange sens du devoir, ressort assez inattendu de ma motivation, me laisse un peu perplexe. Je soupçonne ce trait d'avoir pris racine dans l'éthique raide que m'a rabâchée ma mère pendant toute ma jeunesse. Ma mère puisait sa philosophie personnelle très particulière dans un savant mélange d'intellectualisme protestant et de subtil renouveau d'une tradition juive qui s'était perdue à la génération précédente. Cet esprit ascétique sans concessions était très éloigné du catholicisme plus jouissif qui prédominait dans la famille de mon père. Jeune homme, je me voyais plutôt du côté de cette culture paternelle hédoniste, et j'écoutais d'une oreille agacée les sermons de ma mère. Je réalise avec le recul que je suis beaucoup plus proche d'elle que je ne voulais l'admettre.

À quarante-six ans, j'ai gagné cette liberté à laquelle j'ai toujours aspiré, même si elle n'a pas la forme que j'avais imaginée au départ. Aujourd'hui, Criteo est devenu une source d'inspiration pour d'autres entrepreneurs français. Et le savoir-faire français dans le big data ouvre des perspectives passionnantes. Le lecteur l'aura compris, je crois dans l'avenir de la France comme « start-up nation ». Il n'y a pas de fatalité à ce que ce label ne soit attribué qu'à Israël ou à la Suède. En janvier 2015, l'horrible attentat de *Charlie Hebdo* a suscité une vague d'émotion internationale qui, un temps, a fait taire les french bashers. Ils n'ont pas mis longtemps à se ressaisir. Ne les écoutons pas. La French Tech a tout pour devenir bien plus qu'un simple concept marketing. Les ingrédients, la dynamique et les talents sont là. Il faut juste que cette culture participative (que j'ai appelée la culture du Co), cette culture qui a fait le succès de la Californie, se diffuse non seulement auprès des geeks, mais aussi idéalement des élites françaises. Plus facile à dire qu'à faire. Mais, avec la place toujours plus centrale que prend l'Internet dans nos vies, je constate un frémissement encourageant.

J'ai d'ailleurs démarré récemment deux initiatives dans ce sens.

Tout d'abord, je contribue à Daphni, un nouveau fonds d'investissement pour les start-up, monté par Marie Ekeland, dont j'ai déjà parlé. Marie a accompagné l'aventure de Criteo depuis le début. Dans le capital-risque français, c'est pour moi une figure marquante, certainement l'une des personnes les plus créatives et audacieuses que j'ai pu côtoyer. Peut-être parce qu'elle est une femme dans ce milieu très masculin, Marie a ce talent rare de faire bouger les lignes. La French Tech a bien de la chance de la compter dans ses rangs. Ce nouveau fonds a l'ambition de dénicher les futures licornes et de les accompagner dans leur croissance, notamment à la conquête des États-Unis. C'est là que l'expérience de Criteo pourra je l'espère être utile. Si je peux éviter à d'autres certaines erreurs et leur permettre d'aller plus vite, ce sera une satisfaction énorme.

En parallèle, j'ai aussi lancé et financé le Galion Project, un think tank pour les entrepreneurs de la French Tech. Avec Agathe Wautier, qui porte le projet au quotidien, nous réunissons des fondateurs aguerris et d'autres en phase de décollage, pour aider ces derniers à bien anticiper et gérer l'hyper-croissance lorsqu'ils y sont confrontés. Avec une focalisation forte sur les entrepreneurs dont les start-up ont une vocation mondiale. Cela se fait sous forme de retours d'expériences et de partage de bonnes pratiques sur des thèmes business auxquels sont confrontés les entrepreneurs aux différents stades de leur start-up. À titre d'exemple, je réfléchis beaucoup sur les modèles qui combinent recherche et développement en France et marketing aux États-Unis. L'expérience de Criteo est bien sûr précieuse. Mais notre cas est loin d'être unique. Nous commençons à avoir une belle série de start-up prometteuses sur lesquelles nous pouvons nous appuyer, et je m'en réjouis. L'idée est là aussi d'encourager au sein de la French Tech l'émergence de nouvelles licornes.

Enfin, à mon sens, il faut cesser d'opposer modèle français et modèle américain, mais plutôt essayer de prendre le meilleur des deux. Et qui sait, un jour nous aurons, nous aussi, un Google français ?

Table

Cet ouvrage a été composé
par PCA à Rezé (Loire-Atlantique)
et achevé d'imprimer en France
par CPI Bussière
à Saint-Amand-Montrond (Cher)
pour le compte des Éditions Stock
21, rue du Montparnasse, 75006 Paris
en septembre 2016

Imprimé en France

Dépôt légal : septembre 2016
N° d'édition : 06 – N° d'impression : 2025655
54-07-3340/0